嗷！神话超有趣

Cool Mythology

[英]马尔科姆·克劳馥 著
[英]达米恩·维西尔 绘
王喆 译

云南出版集团
云南美术出版社

目录

欢迎来到《嘭！神话超有趣》

世界上有许许多多酷炫的神话，如果你想对它们有所了解，一探其中的奥妙，那你就得穿越回过去，回到人类刚诞生的时候。不过这还不够，你还得穿越到未来，一瞥世界末日的光景。就算这样依然不够。你还得穿越到其他时空、其他王国，翱翔于想象的天空。

神话形式多样，长短不一。神话可以是民间故事，也包括奇闻传说，神话中的角色多种多样，有妖怪有野兽，神话还自带寓言属性，暗藏隐喻奥秘。尽管世界各地的人们说着不同的语言，文化也多种多样，但神话和带有神话色彩的思想不论在哪里都生生不息。不论我们身处何方，神话都能够帮助我们了解过去，体察人性。从美洲原住民的民间故事到亚瑟王的传奇，从非洲部落流传的奇闻轶事到古希腊的神话传说，神话帮助我们了解自己在世界中所处的位置，了解许多不仅仅存在于幻想中的国度。所有神话都源于人们对身边世界一探究竟的基本欲求，理解一种文化所独有的神话，能够让你更好地理解周围的世界。

在你面前有一条长长的探险之路，你将在此次惊心动魄的旅程中发现自我。一旦你走完全程，将会对这个世界有更深一层的了解。

在我们踏上旅程之前，先深吸一口气，揉一揉眼睛……一切将变得多少有些怪异。但这是件好事。旅途愉快哟！

我们心中有天堂、有地狱、
有诸神……
他们是经过渲染的梦，
而梦，则是我们心中
各种能量冲突的显现。
这，便是神话的真谛。

——《神话的力量》
（约瑟夫·坎贝尔 著）

世界神话地图

我们一起来穿越时空，周游世界吧！看看能找到多少神话……

北美洲

北美洲有好多好多神话，它们散落在北美的乡野间。大西洋东岸的圣言，切罗基、乔克托、易洛魁、塞内卡、克里克等部落，美洲中部的黑脚、波尼、拉科塔、克罗等部落，还有太平洋西岸的扣特尔、努特卡、卢米、海达等部落，都有属于他们自己的神话。

中美洲

中美洲也有许多有趣的神话等着我们去发掘。特奥蒂华坎、蒙特阿尔托、奥尔梅克玛雅、阿兹特克等部落的神话和印加神话有着类似的神祇，这些部落的神话流传于萨尔瓦多、洪都拉斯、哥斯达黎加、墨西哥、伯利兹、尼加拉瓜等国。

南美洲

在南美洲，并非只有印加文明拥有丰富多彩的神话。亚马孙雨林附近的阿查瓜、瓜拉尼、瓦尤、佩蒙、加勒比等文明都有着用来解释他们从何而来的丰富神话宝藏。

地中海地区

一说到希腊罗马，人们或许会立马想起那几个鼎鼎大名的人物，但在这个地区的神话体系中，其实有着数量众多，关系复杂的神祇。

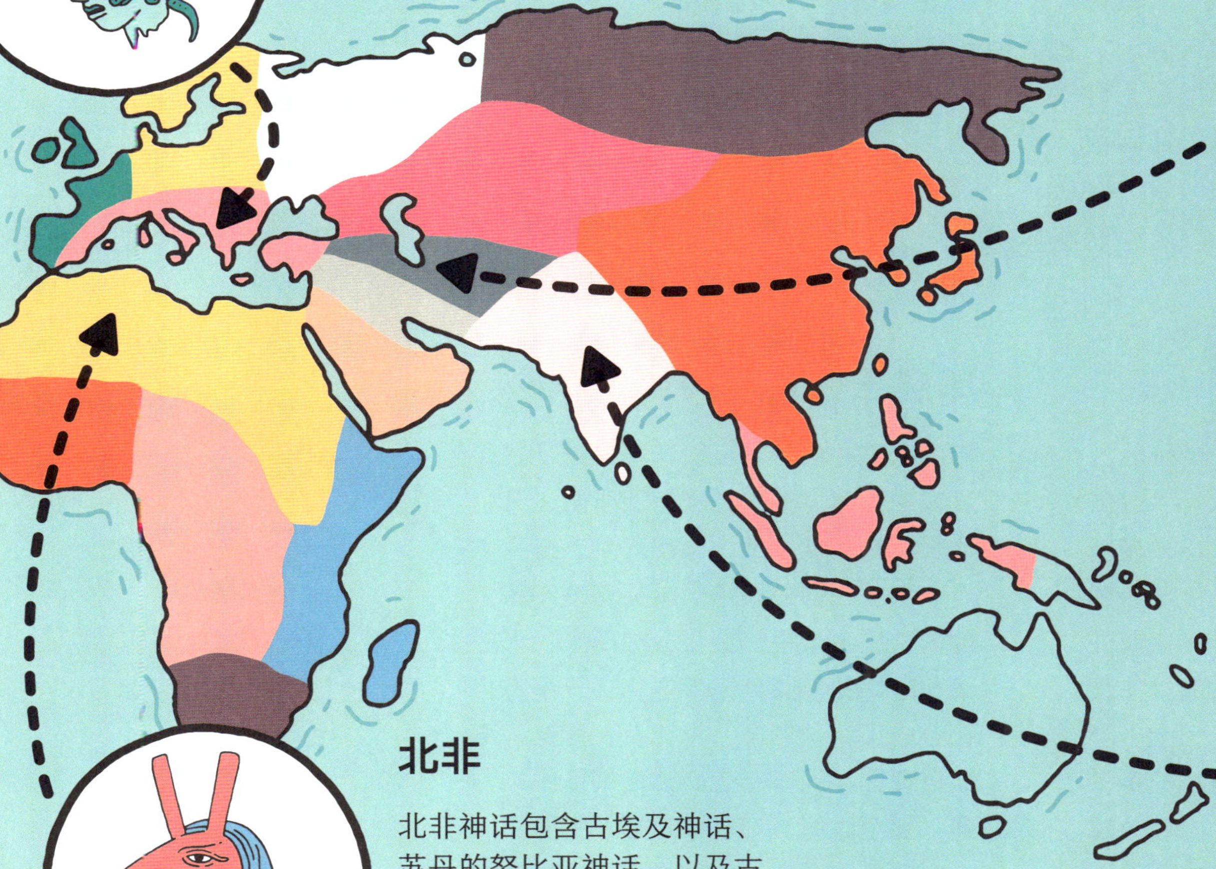

中东

波斯人原先信奉琐罗亚斯德教，后改信伊斯兰教，但伊斯兰教神话以外的神话体系（比如库尔德神话、奥塞梯神话、亚美尼亚神话）依然在这个地区生生不息。

印度

印度神话发源于印度北部，那里有一条伟大的河流——印度河（印度教便是由此得名的）。印度神话被称作世上最古老的信仰体系。

北非

北非神话包含古埃及神话、苏丹的努比亚神话，以及古柏柏尔神话。古柏柏尔神话如今依然流传于摩洛哥等国。

无中生有

有关生命、宇宙、万物的起源，人们众说纷纭，从智慧设计论到多元宇宙论，从《创世记》到梵天，从斯堪的纳维亚的火魔到澳大利亚原住民的彩虹蛇等，不一而足。

创世神话是世界各个文化中最为常见的神话类型，可以追溯到这些文化在孕育之初的那段岁月。“我们在哪里？”“我们是怎么来到这里的？”以及最最重要的“我们将去向何方？”。这三个问题萦绕在当时人们的心中。

大神盘古

从埃及到中国，从芬兰到波利尼西亚，世界上许多文化中都有宇宙由蛋而生的说法。举个例子，1800多年前，中国的道士们创造了盘古的神话。按照这个神话的说法，宇宙起先就是一颗蛋。一位名为盘古的神在蛋中诞生，蛋壳于是崩成两半：上一半成了天，下一半成了地。盘古的身子越长越高，天地也越变越大，越分越开。盘古死后，他的身体变成了地上的万物。

印度王：梵天

印度人主要信奉印度教，而梵天便是印度教中的创世神。梵天有四张脸，分别代表东南西北。他由念想而生，诞生之后，他首先创造知识，接着创造宇宙。他诞生在金蛋里，金蛋分成两半，形成天和地。梵天感到孤零零的，于是将自己分成了两种形态：男和女。就这样不断分裂，直到所有生命都被创造出来，到了那个时候，湿婆神将摧毁世界，而梵天则将创造出一个新世界——如此循环往复。

五类神话

一般来说，创世神话可以分为五类：

无中生有说

一个神圣的存在（比如上帝）从虚无中创造出整个宇宙。

突现说

有一个解释世界本源的故事告诉我们地球上的生命如何穿越了一连串世界，随着时间不断变化，最终成了现在的模样。

世界父母说

有一对父母，比如天（男）与地（女），或光与暗相互交融，给世界带来生命。

入地说

有一个生物（通常是鸟或爬虫）受“创世者”派遣，来到世上，众生便由此诞生。这种说法常见于美洲原住民的民间传说。

宇宙起源说

宇宙及其中的一切是由“天”和“地”分开、宇宙蛋崩裂，或者混沌变为秩序而创造的。

自然母亲

盖亚是希腊的原初女神，又称第一女神、大地母亲、自然母亲、泰坦之母，还是“不朽者”之一。她是希腊神话的起点。

起先

古希腊人民特别喜欢编故事，以解释他们从何而来。他们编的创世神话（比如盖亚）流传至今。盖亚从混沌中诞生，是希腊神话中第一个神。其他所有神都是她孕育的。

盖亚和乌拉诺斯结合，生下了泰坦诸神（见第18页），泰坦的子女则是我们所熟知的奥林匹斯神（见第36页）。

希腊神话谱系

根据希腊神话，古希腊诸神根据不同世代，分为三大朝代：

第一代古希腊神祇是原初神，又称“不朽者”，盖亚便是其中之一。这些神从时间伊始便已存在，生活在宇宙里名为元素混沌的空间中。

↓

第二代古希腊神祇是泰坦神。

↓

第三代古希腊神祇是奥林匹斯神。

神话小偷

罗马于公元前146年征服了希腊，罗马人便从希腊神话中借用了许多元素，并将自己的文化融入其中，以拉丁文为其命名。盖亚在罗马神话中所对应的名字是泰拉，意思是“大地”。

神箭咻咻

盖亚最年轻的孩子们名为“巨人族”，包括100个巨人。盖亚命令巨人族反抗宙斯，但在一场史诗级的大战中，巨人族落败。

无的理论

只要事关宇宙或所谓“众生”实相的起源，都归于宇宙起源说的框架内。

不朽者，也就是希腊神话中的原初神，都是些巨人。这些“太古神”有着以下称谓：

- **盖亚**
  自然母亲
- **厄瑞玻斯**
  黑暗和冥土之神
- **塔尔塔洛斯**
  冥土之下的深渊之神
- **厄洛斯**
  生育之神
- **蓬托斯**
  海神
- **乌拉诺斯**
  天空之神

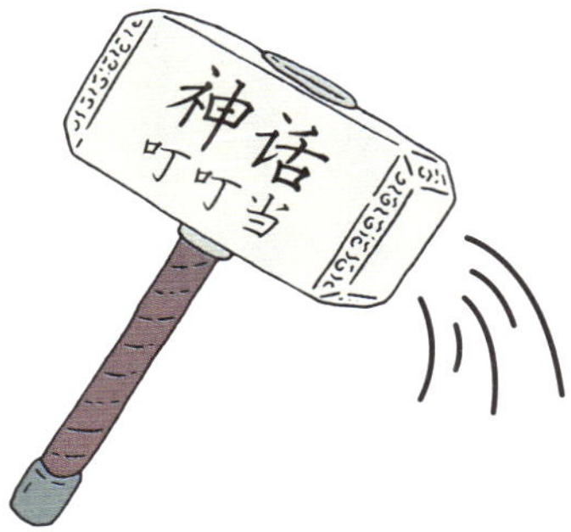

希腊的帕耳那索斯山脚下，有一座名为德尔菲的古代遗迹。这座遗迹被誉为古代地中海地区至高无上的神谕之地，被认为是盖亚的圣地，由她的巨蛇女儿皮同守护（没错，python在英文中的含义是蟒蛇，就是出自这段典故）。此地还被宙斯当作“地球的中心”。

太阳之子

太阳在世界上多个经久不衰的神话体系中占有极为重要的地位。比如，在埃及和印加神话中，太阳并非是距离我们一亿四千九百万千米、高挂空中的那颗亮黄色星球，而是一个孕育众生的天神……

中美洲神话

太阳之子是中美洲文化中第一个创世神话，这个故事由一代代人口口相传，描绘了800多年前著名的印加帝国的起源。印加人民无法理解太阳、星辰、生命（植物、动物、人类）是怎么来的，因而印加帝国早期一个名为曼科·卡帕克（他可能也是神话中的人物）的、很有文化的统治者，开始用太阳之子的神话来解释印加人民的起源……以及他们是如何完善自己的。

印加人民相信安第斯山脉之中住着一个神灵。

因蒂：古代印加神话中的太阳神

因蒂是古代印加神话中的太阳神，在印加帝国扮演了十分重要的角色。印加文明起源于十三至十四世纪，分布在当今秘鲁、厄瓜多尔、玻利维亚、智利、阿根廷、哥伦比亚一带。对于印加人民来说，因蒂是世界上善的主要来源。

印加神话体系中最为重要的神有：

1. 因蒂
太阳神
2. 维拉科查
创世神
3. 尤拉帕
天气/雷神
4. 帕查玛玛
大地女神
5. 玛玛科查
海洋女神
6. 玛玛基利亚
月亮女神，因蒂的妻子

太阳神话的兴起

太阳之子神话讲述了一个人们在大地上赤身裸体、无法无天的时代。当时人们彼此之间并不友善，随后太阳神因蒂看到了大地上发生的一切，便教了他的两个孩子——曼科·卡帕克（儿子）和玛玛·欧克萝（女儿）文明之术，并派遣他俩前往地球上教授人们如何好好生活，如何建造都城以敬奉因蒂。可敬的印加文明由此拉开序幕。曼科和玛玛教会了印加人民许多技能，而他俩也被推崇为人间神，他们这一族统治了印加帝国三百多年。印加文明从太阳神话伊始，揭示了神话有改变社会的功能。

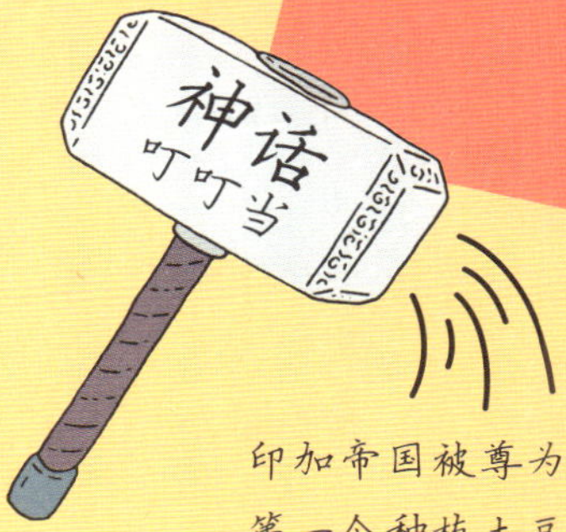

印加帝国被尊为世上最有智慧的文明之一——他们是世界上第一个种植土豆、施行复杂手术、建造抗震房屋的文明，他们还建造了一个超过18000英里（28967千米）的公路系统。

彩虹大蛇

从宇宙蛋一分为二到崇拜太阳之子，许多创世神话一开始会让人觉得莫名其妙，而你一旦深入研究，就会豁然开朗。对蛇的崇拜，以及彩虹大蛇，便是极好的一个例子。

黄金时代的大梦

根据澳大利亚原住民的神话，所有人、兽、鱼都隶属于同一个神圣的存在，这个神圣的存在将人类、物质世界、神圣世界联结起来。澳大利亚原住民凭借黄金时代的神话理解世界并解释世界的起源。黄金时代被认为是知识的源头，和印加文明中的太阳之子神话很像。黄金时代神话的信徒能够借此学习存在的法则，而知晓这些法则能够帮助他们生存。

黄金时代伊始，始祖生物（如彩虹大蛇或袋鼠）从地下钻出，万物开始生成，这便是创世。这些超自然生物诞生于一个表面平坦、四周一片漆黑的世界中。它们在这个不毛的世界中穿行，创造出地表的景观，如山川河流、树木湖泊。他们创造了人类、动物，以及水、气、火等自然元素。他们创造了太阳、月亮、星辰。最终这些始祖生物钻回大地沉沉睡去。

旁征博引

黄金时代创世故事在澳大利亚原住民传统的精神世界中生生不息，“创造大地”这个主题常常会在庆典、歌曲、舞蹈中出现，并以迪吉里杜管伴奏！

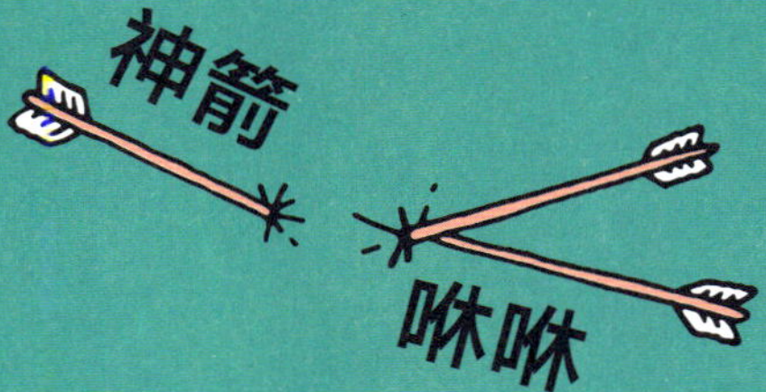

对于澳大利亚北部热带的伽古度人来说，彩虹大蛇名为阿尔穆吉，是人类的创造者。如今，阿尔穆吉依然被认为是一个伟大的创造者，负责每年带来雨季，并以空中彩虹的形象现身，让各类生命蓬勃生长。然而，阿尔穆吉也是很可怕的，因为他会惩罚恶人，用洪水将他们淹死。

彩虹大蛇是一条流经干旱、沙漠地带的河流人格化的表现，这条河流像蛇一样蜿蜒曲折，给大地带来了水，而水能滋养万物。在澳大利亚的一些文化中，彩虹大蛇被认为是宇宙万物的终极创造者。

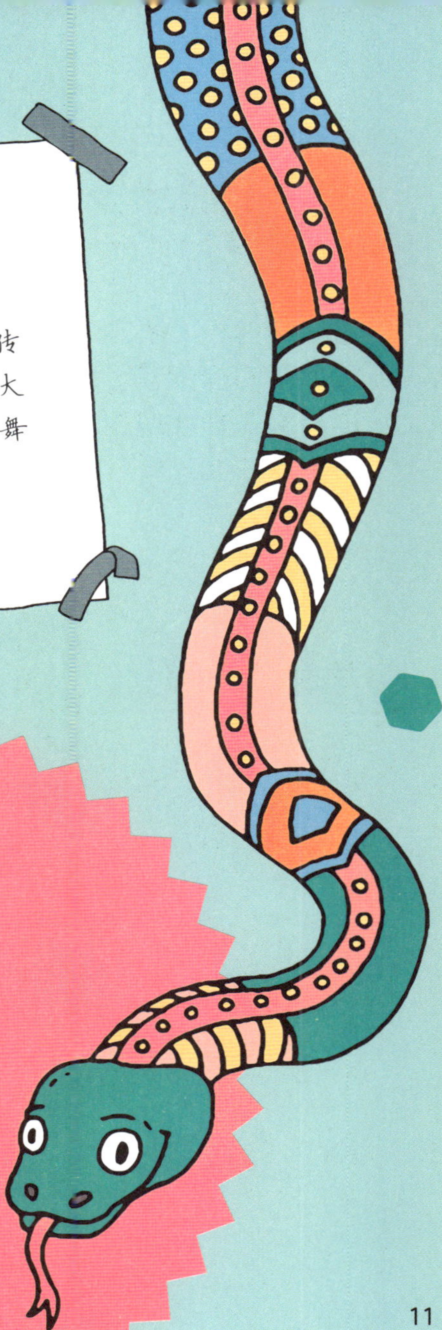

非洲之根

非洲是世界上第二大洲，有54个国家，几百种不同的文化，千余种不同的语言，以及超过十亿的人口——非洲很大。尽管非洲没有一种主导或统一的神话体系，但这块历史悠久、民族众多的大陆上，有一些信仰是为非洲人民所共有的。

丰富的历史

非洲那些最伟大的神话因为对来生和宇宙起源众说纷纭而著名，但人们之所以对其赞叹，是因为它们同魔法、灵兽、天神，以及许多可怕的当地传说和巫术紧密相连。

神的传说

非洲充斥着数以百计的神，这些神在不同的国家和地区有着不同的名字。为了便于大家了解，下一页有张表格，上面罗列了一些神。请参照非洲地图，找到哪个地区的哪些人信仰哪些神。

阿都·欧吉纳依

阿坎族是一个拥有2000万人的民族，如今聚居在东几内亚地区。根据这一民族的神话，曾经所有人类都住在深深的地底下。一天，有七男五女、一豹一狗从由大蠕虫钻出的洞里爬出来，第一次目睹了世界。第一个爬出洞的男子名叫阿都·欧吉纳依，他像被施了魔法一样立刻理解了身边的世界，而其他人则被自己眼前的景象吓坏了。

阿都把手放在伙伴们的身上为他们鼓劲。他于是成为第一个人类团体的领袖——人们至今依然对这个说法深信不疑。

神祇	民族和地区	身份
阿拉	伊博族，尼日利亚	母神，冥土统治者，生育女神
阿玛	多贡族，马里	至高神
卡跟	布须曼族，非洲西南部	创世神
埃苏	约鲁巴族，尼日利亚	恶作剧之神，信使之神
卡通达	布干达族，东非	创世神、众神之父、宇宙之王和审判者
吉布卡	布干达族，东非	战神
莱扎	班图族，中非和南非	创世神、天之神
穆佳吉	洛维杜族，南非	雨女神
雅梅	阿散蒂族、阿坎族，加纳	和日月有关的创世神
奥罗伦	约鲁巴族，西非	全知之神

神话科学

神话和传说是人类存在（即人类之所以为人）的重要组成部分。它们向我们讲述了一个人神共存的时代，当时的人们可以听到神的话语，看到未来的景象。但是，因为神话和传说仅仅只是故事而已，所以我们可以将它们解构、拆分、分析，以期能够更好地理解他们，分辨其中真实和虚构的成分……

解构神话

如果你尝试过自己撰写神话——试试看，很有趣的！——你很快便会发现自己的故事能被套进神话的七大基本情节之一。一起来看看这七大情节吧，然后列举出十部你最喜欢的书籍、电影、故事，判断它们到底属于这七大情节中的哪一个。

摘自最具史诗性的英雄史诗：《贝奥武夫》。

旁征博引

“父王的战士围绕在他左右
戴金指环，紧紧团结在王子身边
凭着父王的财富，年轻的王子
以和平建未来，以战争作保障
让战士们通过刀剑
赢得荣誉与财富。”

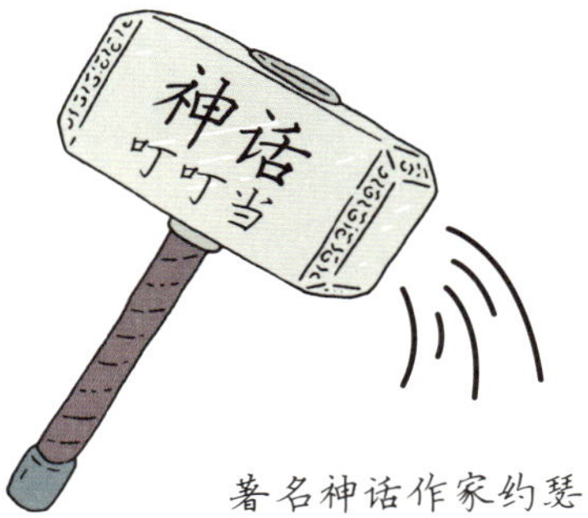

著名神话作家约瑟夫·坎贝尔惊讶于世界各个文化中都有他所谓的“普世真理”，只不过表述形式不同而已。坎贝尔试图证明东西方宗教和神话从本质上别无二致，都在寻找“未知的答案”。

神话的七大基本情节

1. 除妖

主角被派去除掉一股邪恶力量或妖魔鬼怪，后者通常威胁到主角的故乡或家庭。

2. 由穷变富 / 由富变穷

主角会尽力获取权力、财富或爱情，但最终这些都会离他而去，而他也将在这一过程中变成更好的人。如果主角一开始便很富有，那么上面这一过程将反过来进行，但结果是一样的。

3. 探索

主角（通常和伙伴们一起）出发去寻找一个特别重要的东西，或寻找一个很特别的地方。在途中，他们将面临许多障碍和诱惑。

4. 旅途和归途

主角将前往一个奇怪的大陆，克服千难万险以后，两手空空地踏上归途，但他收获了经验。

5. 喜剧

一个具有幽默感的角色克服了逆境，故事的结尾是幸福而欢快的。

6. 悲剧

一个内心邪恶的角色，身败名裂地死去，每个人都对邪恶的死亡感到欢欣鼓舞。

7. 重生

一个重要的事件迫使故事的主角改变自己的所作所为，他们通常因此成为更好的人。

罗马人来了！

几个世纪以来，古希腊人以及他们的思维方式统治着全世界。接着，罗马人来了，接过了世界的霸权，同时也将希腊神话（更别提埃及神话了）据为己有。

希腊人 VS 罗马人

希腊人为他们的神祇编织了丰富多彩的神话，让罗马人惊叹不已，于是后者逐渐将其中一些神（罗马人称之为numina）改头换面，纳为己用：

罗穆卢斯 VS 瑞摩斯

在世界名城的起源故事中，罗马的建立无疑是最令人难忘的一个，而这个故事其实是个神话，不过它很精彩。这个神话故事中有两个带有神话色彩的角色：罗穆卢斯和瑞摩斯。这对孪生兄弟由罗马战神玛尔斯所生，从小被抛弃，由母狼养大。在帮助外公夺回王位之后，兄弟俩决定建立属于自己的城市。不久，他们便因为选址一事大打出手。在争斗过程中，罗穆卢斯将瑞摩斯杀死。随后罗穆卢斯便开始建造罗马——罗马帝国的首都，而他建造罗马的神话概述了罗马城的理想和道德观念。如今，许多现代历史学家相信是先有罗马城，后有建城神话的。

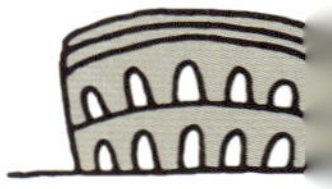

希腊名	罗马名	描述
宙斯	朱庇特	众神之王 能够投掷闪电
波塞冬	尼普顿	海神，宙斯的哥哥 手持三叉戟
哈迪斯	普鲁托	冥土与逝者之神， 宙斯的长兄 戴着能使自己隐形的头盔
艾瑞斯	玛尔斯	战神，宙斯与赫拉之子
雅典娜	密涅瓦	宙斯之女， 文明、手工、农业的守护神
阿波罗	阿波罗	宙斯之子 音乐之王、弓箭之神、医疗之神、 光之神、真理之神、太阳神
阿芙洛狄忒	维纳斯	乌拉诺斯之女 爱与美的女神
赫尔墨斯	墨丘利	宙斯之子 帽子和鞋上有翅膀
阿尔忒弥斯	狄安娜	阿波罗的孪生姐妹，宙斯之女 阿波罗是太阳，阿尔忒弥斯是月亮
赫菲斯托斯	伏尔甘	赫拉之子，火神 唯一丑陋、畸形的神

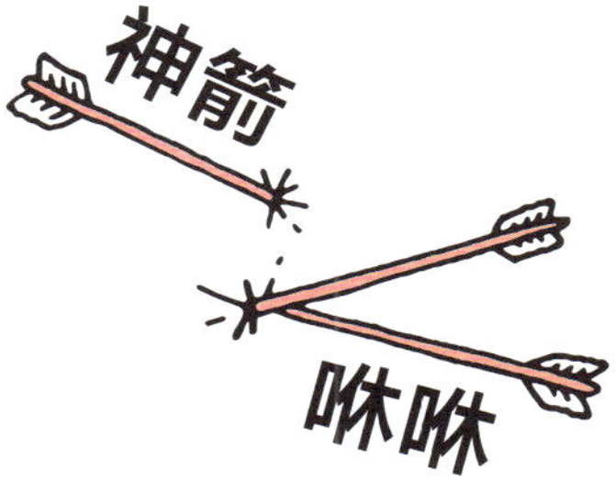

在罗马神话中，普鲁托是冥土与逝者之神。他是朱诺、朱庇特、维斯塔、尼普顿、色列斯的兄弟。冥界的神被称为*di inferi*，意思就是地狱之神。普鲁托在希腊神话中所对应的神名叫哈迪斯。

强大的泰坦

在希腊神话中，泰坦是第一代神祇，是宇宙至高无上的统治者。这些泰坦巨人是第一代原初神盖亚和乌拉诺斯的后裔，而盖亚和乌拉诺斯则从混沌中诞生。

泰坦十二神

古希腊人对于创世特别着迷，为了满足他们探求自身起源的需求，他们创造出一个解释主要神祇和宗教起源，以及彼此间关系的神话。希腊的创世神话由混沌而起，接着出现了原初神，这些神创造了泰坦，而泰坦的后继者则是12位奥林匹斯神。第一代泰坦神有：

- 克洛诺斯：第一代泰坦神的领袖
- 瑞亚：生育女神，众神之母
- 科俄斯：智慧之神
- 福柏：月亮女神
- 许珀里翁：光之王
- 忒亚：太阳之母，司掌（金银、珠宝等）闪光物的女神
- 伊阿珀托斯：凡间生灵之神（他的伴侣为克吕墨涅）
- 欧申纳斯：海洋之王
- 泰西斯：河流女神
- 谟涅摩叙涅：司掌记忆、造字的女神
- 克利俄斯：星座之神
- 忒弥斯：司掌正义与秩序的女神

第二代泰坦神

第二代泰坦神由第一代泰坦神的子女们组成：许珀里翁的孩子赫利俄斯、塞勒涅、厄俄斯；科俄斯的孩子勒兰托斯、勒托、阿斯忒瑞亚；伊阿珀托斯的儿子阿特拉斯、普罗米修斯、埃庇米修斯、墨诺俄斯；欧申纳斯的女儿墨提斯；克利俄斯的儿子阿斯特赖俄斯、帕拉斯、珀耳塞斯。

神话小偷

“泰坦尼克”（titanic，意为“巨大”）一词源于泰坦身形巨大、力量无穷。而英语中“海洋”（ocean）一词便是由泰坦神、海洋之王欧申纳斯（Oceanus）的名字演变而来。

人们认为十二位泰坦神代表着生命中自然和精神的重要方面。第一代泰坦神是一群强大的巨人，最终被他们的孩子奥林匹斯神（见第36页）打败，失去了对宇宙的控制。

众神之战

说到史诗级的战争（星球大战、哈利·波特、蜘蛛侠除外），不论交战双方是诸神和妖怪、魔鬼和猎魔人，还是巫师和巫婆、巨人和小矮人，世界上所有神话体系都喜欢创造一场善恶之间的世界大战。而其中首屈一指的当属……

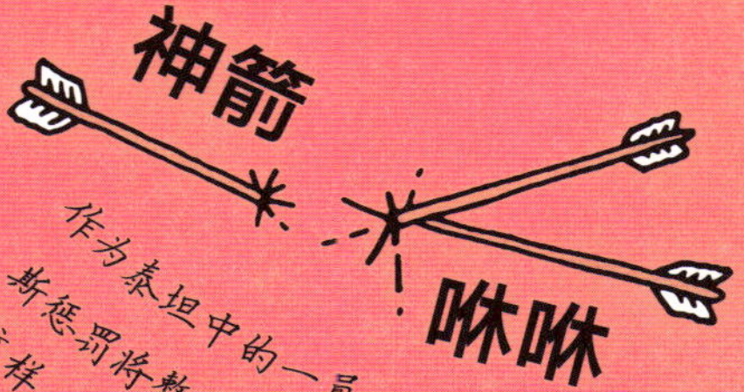

作为泰坦中的一员，阿特拉斯被宙斯惩罚将整个世界扛在肩上。正因为这样，英语中“阿特拉斯”（atlas）一词用来表示地图集。

泰坦之怒

蓝方是泰坦诸神，红方是奥林匹斯诸神。这场希腊诸神之间的大战举世闻名，空前绝后。

此次大战的舞台，设在最年轻的泰坦克洛诺斯在母亲盖亚（自然母亲，见第6页）的协助下，推翻其亲生父亲乌拉诺斯（宇宙的统治者）这一时期。

众神之战（又称泰坦之战）是一场为期十年的神话大战，胜利的一方将统治宇宙！根据希腊诗歌《神谱》的说法，这场战争十分惨烈，许多泰坦最终被打入塔尔塔洛斯——永世关押恶人的深渊（相当于我们概念中的地狱）。最终获胜的奥林匹斯神（也是三兄弟）宙斯、波塞冬、哈迪斯将宇宙一分为三，纳入自己的统治之下。

而战争至此并未终结。众神之战之后，盖亚将巨人族释放出来，想要让他们替泰坦夺回统治权，于是奥林匹斯神和巨人之间的战争打响了。这场战争就是“巨人之战”。

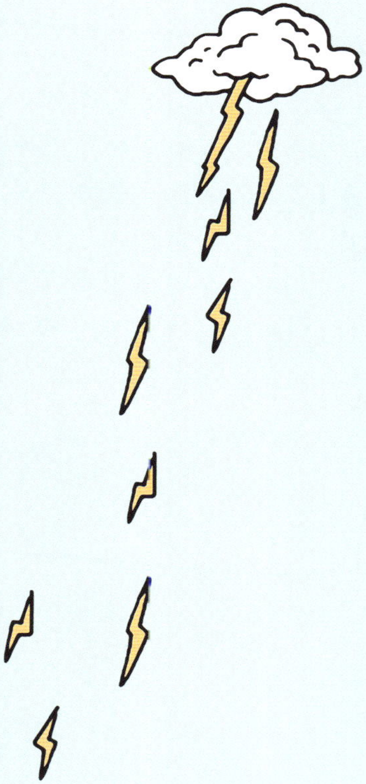

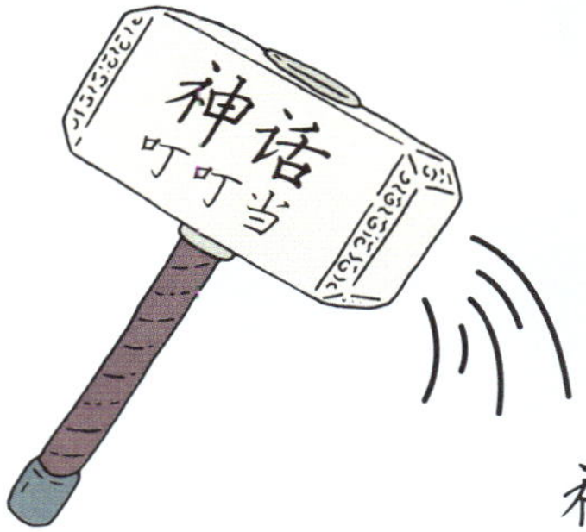

神话中有许多大战。
一起来看一下吧！

- ★ **摩诃婆罗多** 印度教
- ★ **哈米吉多顿** 基督教
- ★ **阪泉之战** 中国史载第一场战役
- ★ **玛格·艾沙之战** 凯尔特人
- ★ **涿鹿之战** 中国史载第二场战役
- ★ **巴瓦里尔之战** 瑞典人对阵丹麦人
- ★ **凯西·玛格·图尔德** 凯尔特人
- ★ **特洛伊战争** 希腊人对阵特洛伊人

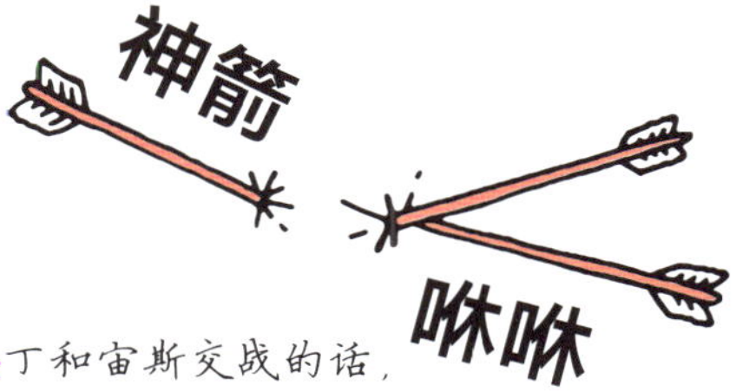

奥丁和宙斯交战的话，谁会赢？羽蛇神和梵天交战呢？印第安大神和波斯的阿胡拉·马兹达交战呢？英语中"Theomachy"一词被用来形容诸神之间的战争。

妖怪来了 #1

神话中的妖怪像神祇一样令人着迷，世界上许多神话之所以能够流传至今，里面的妖怪们功不可没。如今，如果想要寻找一部妖怪电影或描写神话中大魔王的原创故事，你会发现多得无从下手。神话中的妖怪（噩梦的素材）有哪些特质让它们这么酷？

狼人

狼人，又叫人狼，是神话中最为古老的生物之一。狼人在月圆之夜由人变成狼，随后又变回人形的著名传说遍布世界各地。变成狼的时候，狼人凶残嗜血，会把人撕成碎片吃掉。狼人的故事反映出我们对于人类天性和行为中兽性一面的普遍情感。狼人、狂战士（熊皮武士）等变形传说，或许源于我们北欧的祖先穿着兽皮、戴着面具举行仪式时的样子。希腊作家奥维德讲述了一个名为吕卡翁的希腊国王因为用人肉祭神而遭到惩罚变身为狼的故事。

闪电鸟

印朋度鲁又名闪电鸟，是南非神话中一种具有超自然能力的鸟。庞多族、祖鲁族、科萨族的传说都提到了这种鸟。这种鸟身形和人一样大，能够召唤闪电和风暴。它还能化为人形。但要小心——印朋度鲁会攻击人类，因为它喜欢喝人血。

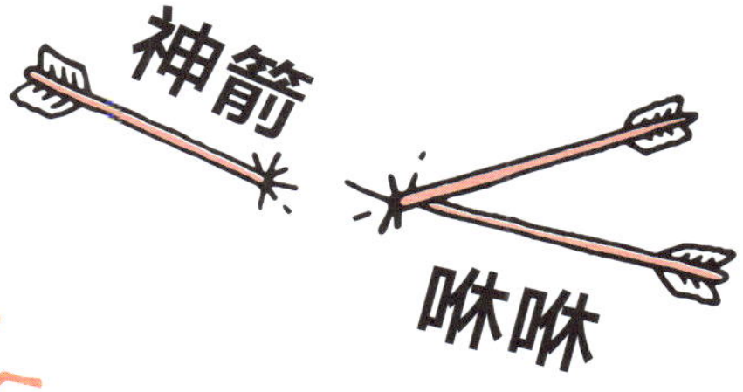

如果你要创造一个神话妖怪的话，你会给它起什么名字呢？它会是什么样子的呢？

神话小偷

在英语中，“妖怪”（monster）一词源于拉丁语中的monstrum，意思是“未来事件的预兆”。

宁基南加

根据传说，宁基南加生活在西非冈比亚河的沼泽中。它身形像龙，长着鳄鱼的身体，马的头（但头上长角），脖子像长颈鹿那样长。哦，而且身材还不小，长度超过15米！

埃及诸神 #1

西方神话起源于埃及。古埃及的法老和国王们很早就创造了一套拥有2000多个神祇的神话体系，又过了将近两千年，古希腊人才开始给自己的神祇取名字。其中好多名字是你耳熟能详的……

回到未来

埃及的诸神被膜拜了3000多年。在农业、建筑、医药领域取得了惊人成就的古埃及文明，始于一位领袖征服尼罗河流域、一统埃及之后。埃及法老（统治者）被当作人间神崇拜，古埃及人相信法老是神的子嗣或先知。

古埃及人分十步创造了他们的创世神话！

- 1.起初，世上只有混沌的黑水，名为努恩。
- 2.一天，一座名为奔奔的山丘从水中升起。
- 3.山的顶端站着阿图姆。阿图姆是第一个神，是太阳神和创造之神。
- 4.阿图姆咳了一下，吐出了空气之神休和雨水女神泰芙努特。
- 5.休和泰芙努特生了两个孩子：大地之神盖布和天空女神努特。休举起努特，于是努特就成了穹隆，保护着盖布。
- 6.努特和盖布生了四个孩子：奥西里斯、伊西斯、赛特、奈芙提斯。
- 7.奥西里斯成了地上的王，伊西斯则成了王后。奥西里斯统治了大地几千年，他是个好国王。
- 8.赛特对奥西里斯妒火中烧。他也想统治大地！于是他杀死了奥西里斯。奥西里斯去了冥土，而赛特则做了王。
- 9.奥西里斯和王后伊西斯有一个儿子，名为荷鲁斯。荷鲁斯和赛特打了一场史诗级的战斗并夺回王位。
- 10.荷鲁斯成了地上的王，而他的父亲奥西里斯直至今日依然是冥土之王。

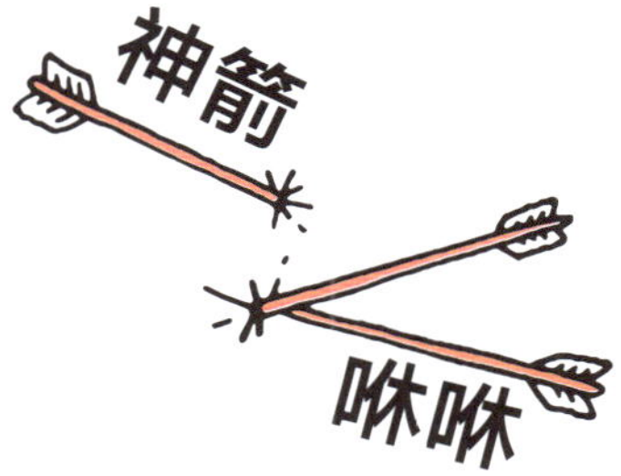

古埃及人会保存死者的尸体，使死者的灵魂能够同身体再度结合，从而享受死后的生活。在制作木乃伊的时候，入殓师会用金属钩伸进死者的鼻子，把大脑扯出来。

塞壬的歌声

地球的75%都是水，而海洋占世界总水量的90%。科学家认为我们至今仅探索了世界海洋的5%。因此，大洋某处黑暗的深水中，潜伏着塞壬、美人鱼、哈耳庇厄、温蒂妮，等着诱惑人类，这种说法并不能全然被归为无稽之谈……

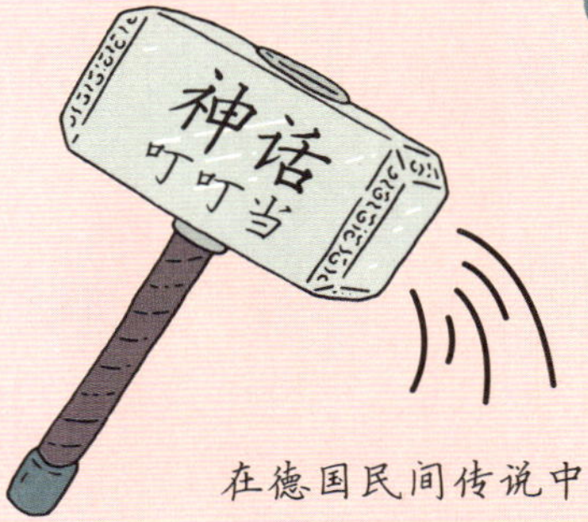

在德国民间传说中，有一个名为罗蕾莱的金发女郎，她由于情场失意自沉莱茵河。她死后，有人见到她的魂灵坐在河中的石头上，对着来往的船只唱起甜美的摇篮曲。船上的水手被她曼妙的歌声所迷，驾船驶向她，纷纷触礁，船毁人亡。

美人鱼、男人鱼、海牛

几百年来，男女人鱼人身鱼尾的著名外形一直令水手、渔民，以及靠水而居的人们神魂颠倒，而地球上几乎每个神话体系中都能找到他们的身影。不论你去到哪里，绝大多数传说或民间故事都会提到迷人的塞壬或水中仙子要让你同她在水里嬉戏。从亚瑟王传说中的湖上夫人到法国的摩根（她们会浮上海面，专挑渔夫下手，同其拥抱，有时候还会把渔夫拉下水，强迫他们同自己生活在水下——更有甚者，会取他们的性命），关于美人鱼的神话数不胜数。首个见诸文字记载的人鱼是公元前四世纪巴比伦神俄安内，该神白天离海，夜晚归来。

神话小偷

把行动迟缓、胖墩墩的海牛和容貌美艳、拖着鱼尾的塞壬搞混似乎是件稀奇事。但船员们曾经认为海牛就是美人鱼。甚至连克里斯托弗·哥伦布都在自己的航海日记里错把海牛写成了美人鱼。

贾森与亚尔古英雄

塞壬生活在被岩石环绕的岛上，她们是海上的宁芙（希腊神话中的女神），歌声十分美妙，往来船只上的船员们被其歌声所迷，会驾船朝她们驶去，最终触礁，船毁人亡。在寻找金羊毛的途中，贾森与亚尔古号上的英雄们驾船靠近了塞壬的岛屿。他们听到塞壬美妙的歌声的时候，船上一个名为俄耳甫斯的船员弹起了里拉琴，用琴声盖过了歌声。

我因为一匹木马丢了整个王国！

阿喀琉斯、帕里斯、赫克托耳、埃阿斯，他们都来了。希腊的特洛伊战争是流行文化中最为酷炫的神话故事，希腊神话中人们最为耳熟能详的人物都参与其中。这个故事最著名的版本出自荷马的《伊利亚特》和《奥德赛》（写于公元前700年左右），特洛伊战争通过比喻、寓言、象征等修辞手法教给我们许多美德和陷阱，以及做人的意义是什么。此外，这还是一个很棒的战争、谋略、复仇故事……

战争？战争有什么好处？

特洛伊战争的起因是特洛伊王子（帕里斯）劫走了强大的希腊城邦斯巴达王墨涅拉奥斯之妻（海伦，同时也是宙斯之女）。这场战争打了十年，希腊战士将特洛伊城团团包围。荷马的史诗《伊利亚特》描写了诸神和人类英雄们在战争最后一年中筹谋划策、机关算尽的故事。特洛伊战争的根源在于帕里斯的虚荣和对海伦的过度热情。这场战争教导我们这两者会诱惑我们，最终让我们栽跟头。

特洛伊战争

战争打了十年多，希腊人依然没能救出海伦。特洛伊的城墙又高又坚固，整座城固若金汤。

希腊人决不放弃，他们在城外建造了一匹巨大的木马。木马完工后，希腊士兵便乘船离去，把木马留在原地。特洛伊人民想把木马付之一炬，但普里阿摩斯（特洛伊国王）命令把木马拉进城，作为胜利的象征！特洛伊人睡着了之后，希腊人从木马内爬出来，打开城门，将偷偷返航的希腊士兵放进城。他们夺回了海伦，将她带回斯巴达。

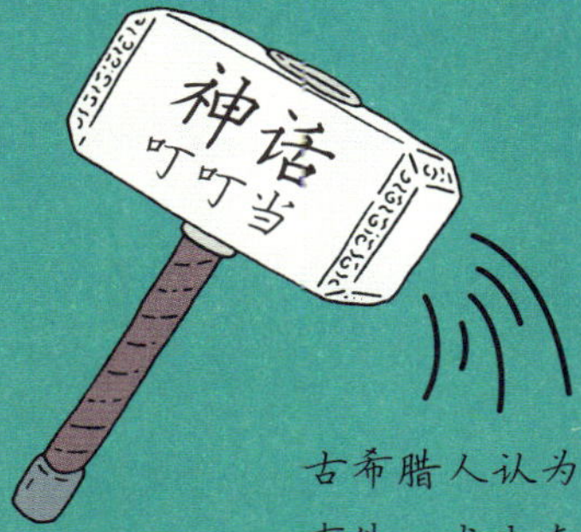

古希腊人认为特洛伊战争是一场真实的历史事件，发生在公元前13或前12世纪。许多现代学者认为特洛伊战争的故事可能由真实事件作为蓝本，但久而久之，变成了神话。

旁征博引

“这便是那张引起千帆远征，焚毁伊里昂（特洛伊的古称）无顶塔楼的脸庞吗？亲爱的海伦，亲吻我，让我不朽吧。”

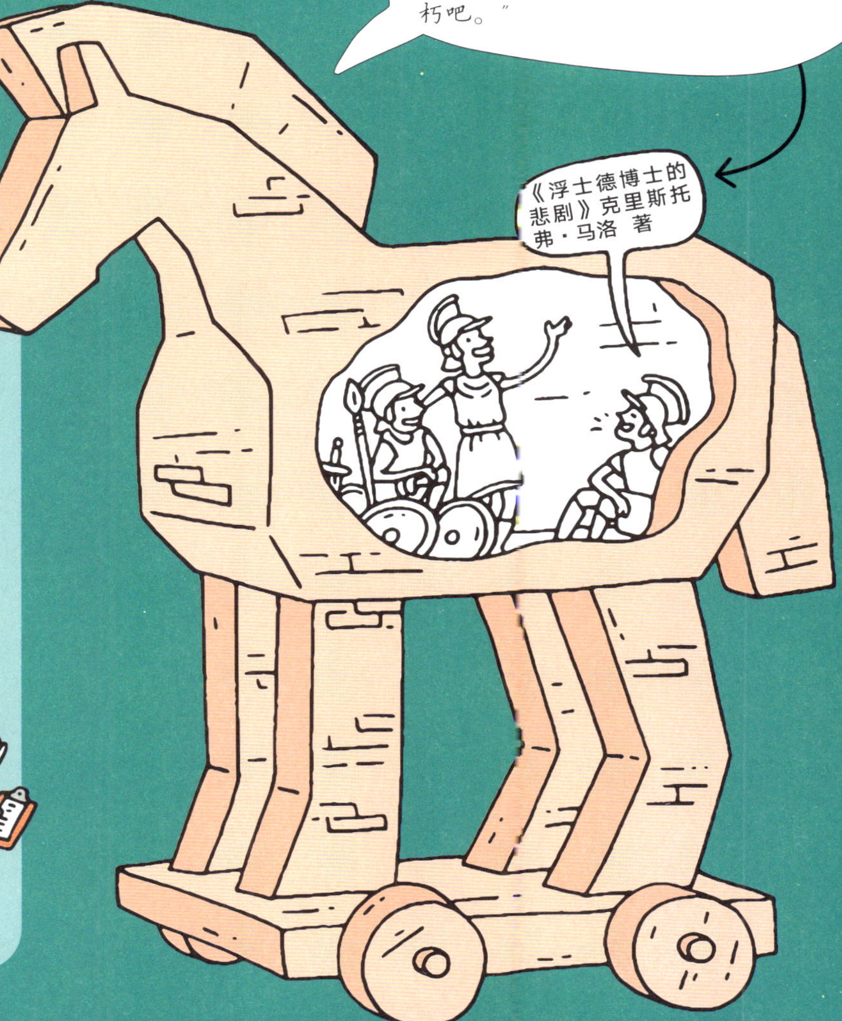

木马小档案

- 根据特洛伊城遗址中最宽的门测算，这匹木马应有3米宽。
- 空木马可能有2吨重，里面藏有20个全副武装的士兵，每人约重95.2千克，至少能让木马的重量翻一番。
- 多数的古希腊人相信木马内藏有30名至40名士兵！
- 木马上刻着一行字：“希腊人返回家乡，将此马敬献雅典娜”。

妖怪来了 #2

妖怪的意义

在世界各地的神话传说中，妖怪们大吼大叫，肆虐横行，把一切搞得天翻地覆。降妖除魔是最为常见的神话故事题材之一。英雄的降妖之旅，依然在最受欢迎的故事之列。妖怪代表了自然世界骇人的一面以及人类想象中最为黑暗的角落。它们千变万化，每一种形态都象征着邪恶。我们将自身对于自然的恐惧植入了这些妖怪的思想中。作为自己神话中的主人公，我们接受它们的挑战，踏上属于我们自己的求生之旅。

旁征博引

在阿密摩涅河源头，有一棵悬铃木，据说海德拉（水蛇）就栖在树下。我已经相信这头野兽相较于其他水蛇身形巨大。它的毒性如此之强，连赫拉克勒斯都取了它的胆汁涂到自己的箭头上。

——保塞尼亚斯，约公元150年

海德拉

在希腊神话中，海德拉是一条长着九个头的水蛇。听起来并没有那么可怕？好吧，它其中一个头是不死的！海德拉生活在阿尔戈斯勒拿浑浊的河水中。打败海德拉是赫拉克勒斯著名的十二项功绩中的第二项。然而，一旦海德拉的一个头被砍下，原先头的位置就会长出两个头。好棘手！为了打败这个妖怪，赫拉克勒斯喊了自己的伙伴伊奥劳斯帮忙。一旦赫拉克勒斯砍下了一个头，伊奥劳斯就用烧热的铁烙上海德拉的伤口，这样新头就不会长出来了。把海德拉不死的那个头砍下来之后，赫拉克勒斯将其埋到了一块大石头下，这个头至今依然在那里……

克拉肯

克拉肯是栖息在挪威海岸的巨型海怪，在北欧神话中举足轻重。它有2400米长，据说看起来既像螃蟹又像章鱼。克拉肯并没有魔力，仅仅因为身形巨大，它每次钻回海底时所形成的漩涡足以让几百千米开外的船只沉没。

挑选兵器

剑、盾、锤、矛、弓、刀、斧、棒、戒指、毒药、石头……在世界上所有最奇妙的神话中，击晕、防御、攻击，伤害敌人的方法五花八门，令人胆战心惊。

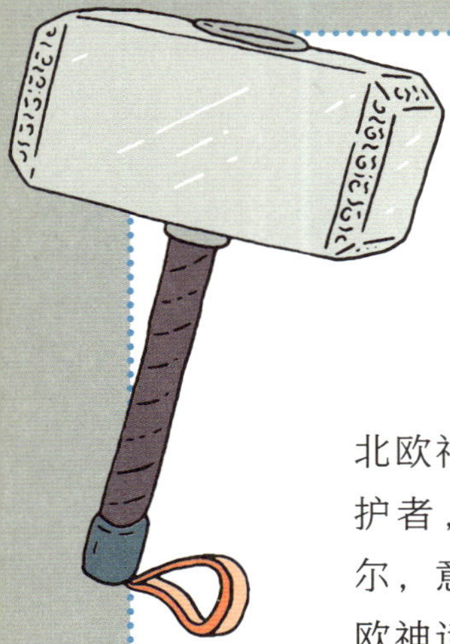

一锤定音

北欧神话中，索尔是雷神，也是大地的守护者，他有一把魔法锤，名叫姆乔尔尼尔，意思是“粉碎者”。姆乔尔尼尔是北欧神话中最可怕的武器，只需一下就能击碎山峦。据说这把锤子是矮人铁匠辛德里和布洛克打造的。

世上第一名剑

亚瑟王神剑为传说中的英雄亚瑟王所佩。大约公元5至6世纪，亚瑟王携此剑和他的圆桌骑士们一起对抗侵略不列颠的敌人。亚瑟小时候偶然发现一把插在石头里的剑，并将其拔出，因此他成为英格兰名正言顺的君主。这把神剑有着许多神奇的魔力，比如能够劈开钢铁与岩石。

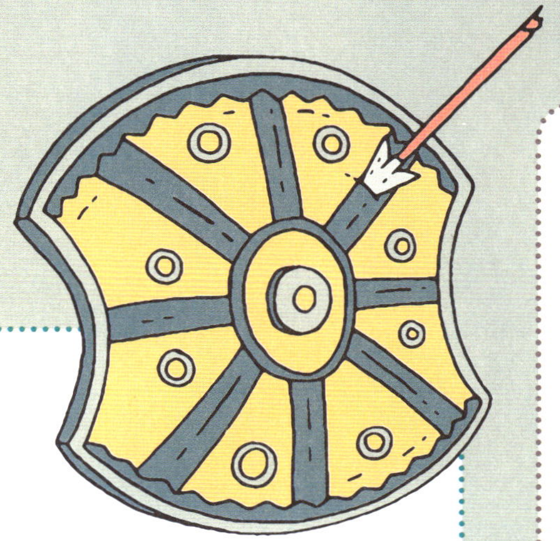

阿喀琉斯之盾

这便是阿喀琉斯的盾牌。阿喀琉斯是希腊神话中一名强大的战士，他手持这枚盾牌同特洛伊王子赫克托耳决斗。关于这场决斗，荷马在史诗《伊利亚特》中进行了一段著名的描写，我们因此得以一窥关于特洛伊战争的传说。

荷马详尽地描写了这块盾牌表面的装饰。它有着一系列相互对应的元素——战争与和平、工作与游玩、国王与农夫——许多神话史学家认为这些元素隐含着让全世界安全无虞之意。对于有史以来最为强壮勇敢的战士阿喀琉斯来说，想要维持和平，再没有比这块盾牌更好的武器了。但很可惜这块盾牌无法保护他的脚后跟。

三叉戟

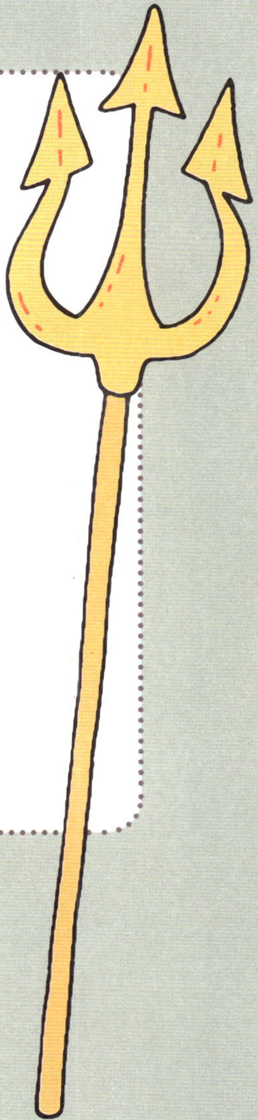

三叉戟在神话传说中层出不穷。诸多对恶魔的经典描写中，恶魔拿的就是这个武器——一把有着三个头的矛，能够造成难以言喻的破坏。这是海神波塞冬（罗马神话中称为尼普顿）挑选的武器，在印度神话中，破坏神湿婆也手持三叉戟。

旁征博引

哪怕走大道，武器勿离身。

——《高人的箴言》，奥丁

埃及诸神 #2

在一场奥丁、宙斯、拉、阿胡拉•马兹达、梵天……（谁想加入都行）的诸神之战中，如果只能有一个赢家，那必定是古埃及的太阳神拉，尽管他可能被奥丁打得身上淤青了几块，被宙斯的闪电烫伤了几处，但最后他将力压群雄。

拉知多少

- 太阳神拉是埃及神话中最重要的神，拥有宇宙中最为强大的力量，是创造神和太阳神。
- 作为太阳神，拉的工作便是驾着金色的船穿过天空，为每一个生灵带去光和热。
- 每晚，拉会被天空之神努特吞下，十二小时后，第二天早晨日出之时，拉又会重生。
- 拉长着鹰头人身。
- 根据一些埃及创世神话的说法，拉从混沌原初之水中生成，吐出了泰芙努特（雨水）和休（空气）。
- 根据一些神话的说法，拉看到世上的美，喜极而泣。他的泪水掉到地上，化成了人。

奥西里斯知多少

- 奥西里斯是一名睿智的君王，娶了自己的妹妹伊西斯。
- 他是荷鲁斯的父亲，而荷鲁斯也是埃及国王。
- 奥西里斯成了死者之王，冥土的审判者。每个法老死后都会成为奥西里斯，而他们活着的时候，则是荷鲁斯的化身。
- 奥西里斯还是蔬菜之神。他在象形文字中常被画成绿皮肤，象征重生和生长。

伊西斯知多少

- 伊西斯是至高的女神，因为她是荷鲁斯的母亲，奥西里斯的妹妹和妻子。
- 奥西里斯被（他们的兄弟赛特）谋害之后，伊西斯将他被分尸的身体用绷带扎好，拼回原样——古埃及将死者制成木乃伊的传统由此而起。
- 她让奥西里斯重生，这一过程第一次引入了复活的概念。而这一概念对后来的宗教（包括基督教）产生了深远的影响。
- 伊西斯还被尊为生育女神。她常常被画成女身牛头！

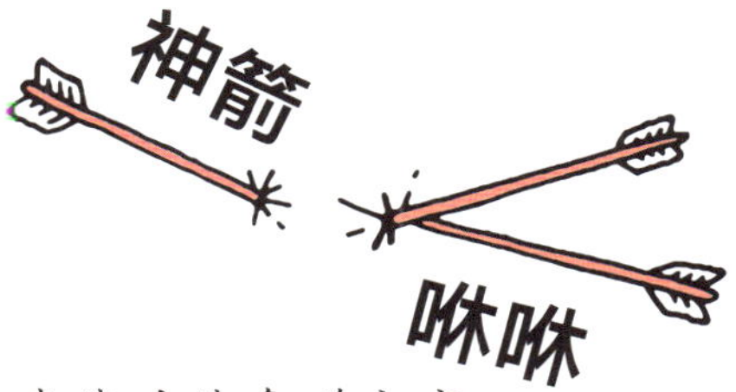

在埃及的象形文字中，“100万”这个数字被画成一个高举双手的神。

阿蒙知多少

- 阿蒙被尊为众神之王。他有着人的外形，头上有两根羽毛。
- 阿蒙后来和拉合二为一，即阿蒙-拉，古埃及诸神中最为鼎鼎大名的一个。

奥林匹斯神

如果要问在神话中的奥林匹克运动会中，谁能登上最高领奖台，那肯定只有那支打败自己父母的神祇队伍才配得上冠军称号。而他们的父母泰坦诸神，只能屈居第二（见第18页）。这支队伍便是奥林匹斯诸神队。

你能记住几个？

下面便是奥林匹斯12神。先看30秒，然后移开目光，把还能记住的名字写下来，尽可能多写几个。如果你能写对12个，拍拍自己的背以示鼓励！

宙斯知多少

宙斯推翻了他的父亲，泰坦克洛诺斯。

他和另外两兄弟抽签，最终他获胜，成了众神的至高统领。

宙斯是天空之王，他名字的意思是“光明”或“天空”。

他的武器是闪电，要是有谁得罪了他，他便会把闪电掷向对方。这道闪电是独眼巨人为他打造的。

他被称作“人神之父”。

波塞冬知多少

波塞冬是宙斯的哥哥。他是海洋、地震、马匹之王。

他的名字在希腊语中是“丈夫”的意思。

他的武器是三叉戟，能够撼动大地，粉碎一切。

他十分强大，在诸神之中仅次于宙斯。

波塞冬和美杜莎创造了飞马珀伽索斯。

艾瑞斯知多少

艾瑞斯是宙斯与赫拉的儿子。他的父母都不喜欢他。

他是战神，代表暴力，但被认为胆小如鼠。

身材巨大的亚马逊女战士是艾瑞斯的女儿。她们的母亲是一个热爱和平的宁芙，名为和谐。

艾瑞斯和阿芙洛狄忒生了一个女儿：和谐女神哈耳摩尼亚。

艾瑞斯一直以来都不是很受欢迎——不论是人类还是诸神都不喜欢他。因而，崇拜他的人比崇拜其他神的人少。

赫尔墨斯知多少

赫尔墨斯是宙斯和迈亚的儿子。

他是贸易、体育、运动员、雄辩之神。

他是宙斯的信使，是诸神中行动最为迅速的。

他手执魔杖，穿的鞋帽都有翅膀。

赫尔墨斯出生在阿卡迪亚的一个山洞中，他母亲仅仅怀胎一天就生下了他。

阿波罗知多少

阿波罗是宙斯和勒托的儿子。

他是音乐之神，常以弹着里拉琴的形象出现，他还是光之神，并且传授人们医药知识。

阿波罗更为重要的一项工作便是驱策驷马，以二轮马车带着太阳穿过天空。

他有着运动健将的外形——这和其他奥林匹斯神不同。

根据荷马在《伊利亚特》中的记载，阿波罗在特洛伊战争中帮助帕里斯杀死了阿喀琉斯。

就是他，他是神话，是传奇：罗宾汉！

罗宾汉可谓是中世纪英国最有名的传奇人物，但至今还没有人能够证明他的存在。罗宾汉和他的英雄故事一样，历经几个世纪演化而成。他劫富济贫以及打败胆小的约翰王子的故事，同任何一个神话中的英雄故事相比都毫不逊色。但是，我们对他了解几分呢？

罗宾汉传奇知多少

- ☆ 罗宾汉是具有传奇色彩的侠盗，在12世纪的英格兰劫富济贫，叱咤风云。
- ☆ 若以箭法和剑法而论，当时无人能出其右。
- ☆ 罗宾汉的故事在当时英格兰的平民间广受欢迎，因为他挺身而出，和那些富有的当权者做斗争。
- ☆ 一些人推断罗宾汉其实是以下历史人物中的一人：汉丁顿伯爵罗伯特、洛克西雷村的罗伯特、韦克菲尔德的罗宾汉，或罪犯罗杰·古德博得。
- ☆ 试图寻找“真正”的罗宾汉的学者们碰到了一个难题：“罗宾”和“汉”都是当时司空见惯的名字。

罗宾汉神话知多少

☆ 1450年到1500年间，有五首民谣提到了一个名为罗宾汉的角色。

☆ 迄今所知，威廉·兰格伦于1377年发表的诗歌《农夫皮尔斯》首次提到了罗宾汉。

☆ 在早期民谣中，对女仆玛丽安和塔克修士都没有提及。

☆ 小约翰、磨坊主之子马奇，以及威廉·斯卡洛克（不是斯嘉丽），是早期民谣中唯一提及的罗宾汉“追随者”。

☆ 我们依然不知道为什么罗宾汉被称为不法之徒，他到底犯了什么“罪”才得了这一称呼！

罗宾汉神话知多少

☆ 罗宾汉传奇可能来源于法国庆祝五月一日“五朔节”的古老传统。

☆ “五朔节”上，有一个名为绿林好汉罗宾的角色，该角色可能被移植到了英格兰——名字也稍稍改动了一下。

☆ 罗宾汉的故事最早在英格兰许多地方出现，包括约克郡的巴恩斯代尔、诺丁汉郡的舍伍德森林等。

☆ 十三世纪，新法律出台，禁止平民在森林里自由狩猎，土地被归为国王和贵族所有。这些法律的出台、繁重的赋税，以及数以百万计的人民因为黑死病而死亡的状况，让社会变得十分动荡，最终导致了1381年的农民起义，平民们揭竿而起反对贵族。当时英格兰一片混乱，民不聊生，罗宾汉这个形象便应运而生了。他可能真实存在过……但没人能证明！

妖怪来了 #3

刻耳柏洛斯

下面几条线索能够帮助你记住希腊神话中最可怕的三头犬。

C 刻耳柏洛斯是一条长着三个头的狗。

E 它的母亲叫厄喀德那，父亲叫提丰，也都是妖怪。

R 刻耳柏洛斯继承了父母的相貌，有着蛇鳞一般的鬃毛和龙一般的尾巴。

B 它被拴在冥土，守护着冥河斯堤克斯。

E 它会吃掉逃跑的灵魂，并折磨其他灵魂以取乐。

R 理智的人会远离他，因为他特别喜欢吃生肉。

U 在哈迪斯的领地，它凶残嗜血，从未被驯服。

S 和赫拉克勒斯缠斗的时候，它的唾液中长出了一棵剧毒的植物，名为乌头。

菲尼克斯

（又称凤凰）

菲尼克斯是传说中长着金色翅膀的鸟，翱翔在希腊、罗马、中国、日本、埃及等国的神话中。菲尼克斯身形和鹰一般大小，叫声婉转迷人，据传说寿命长达五百年或更久，特别著名的是这种鸟死后会重生。

死前，菲尼克斯会用香草筑巢，接着点燃巢窠，在火中死去，继而在灰烬中重获新生。在埃及，菲尼克斯和不朽与永恒重生相联系，而在罗马，人们将其形象铸刻在钱币上，象征永恒之城罗马。

芬里尔

恶狼芬里尔是北欧神话中恶作剧之神洛基三个可怕的孩子之一。洛基另外两个孩子被扔出了众神之家阿斯加德（见第100页），芬里尔则被一根魔链拴着，行动受制。这条魔链名叫格雷菲耶，看起来就像丝绸一般，但特别牢固，尽管这条链子的原材料有点怪异，但做出来的成品相当好！

旁征博引

对于太阳来说，它是神圣的，羽毛颜色、喙的样子都异于众鸟。按照一般传统的说法，这种鸟能活500岁。

——罗马历史学家 塔西佗

天空中的神灵

第一个欧洲人驾船横穿大西洋到达新大陆的几千年前，北美洲已经有了自己的创世神话。

地、风、火

北美洲原住民并没有一个统一的神话体系来解释他们的身份或对于创世的看法。几千年来，美洲原住民的创世神话在1500多个部落（以及其中的千百万人民）中代代相传，在不同时期、不同部落中不断演化。许多不同的部落团体都创造了他们专属的关于创世、人类出现、人类在宇宙中所处位置的神话，以及他们自己的神祇和英雄。每个神话都详细叙述了一个概念，即自然界能找到某些精神力（如全知之神），这些精神力存在于元素（如天气、火、土、水、风、植物、动物，甚至云）中。许多故事解释了某些祖先以及祖先之灵是如何通过行动让地球变成现在这个样子的。

大神

美洲原住民神话中的主神名为大神。大神是地球和个人祖先的精神纽带。就像礼拜天去教堂做礼拜，美洲原住民通过部落舞蹈和歌曲来崇拜大神，其中较为著名的当属可怕的日舞（谷歌一下）。除大神以外，还有天空父亲、大地母亲、粮食母亲等重要的精神力量。大神在不同部落中有着不同的名字。对于苏族和阿尔冈昆族——两个最大的美洲原住民部落（依然在不断壮大）——人民来说，大神名为瓦坎·坦卡。

霍皮人的创世神话特别酷炫。他们的神话围绕着蛛妇展开。她是强大的大地女神、创造神、生命之母。她和太阳神塔瓦唱了第一首魔法歌。这首魔法歌创造了大地、光和生命。随后蛛妇行走在人群中，将他们分成我们当下所见到的不同团体和种族。

瓦坎·坦卡

传说中，瓦坎·坦卡把石头和矿物全部埋入地下，所有的生命由此而生，瓦坎·坦卡的手伸到哪里，哪里就长出植物。美洲原住民神话中的每一个故事都是当地人试图理解大神、联系大神的尝试，人们希望能够借此更好地理解这个世界。

神话中的混合生物 #1

一部分人，一部分兽，还有一部分则十分可怕——这些神话中的生物兼具人类和丑得超出你想象的生物的外形！那些更神奇的生物则完全没有人类的特征，转而和动物王国里更为酷炫的生物结合。

半人半羊

尽管可能不如他半人半马的亲戚山杜尔有名，经常被人忽视的法翁其实和他在希腊神话中所对应的人物萨蒂尔一样受欢迎。萨蒂尔之所以出名，是因为伊索寓言中的那篇《萨蒂尔和旅人》。

有着人的躯干、山羊的下身（头上还长着角），现代最为有名的法翁是C. S. 路易斯的著作《狮子 · 女巫 · 魔衣橱》中的吐纳斯先生。

山杜尔

半人半马的山杜尔当属传说中最为有名的半人半兽生物，在许多古代神话以及现代故事中都能看到他们的身影，比如C. S. 路易斯的史诗奇幻作品《狮子·女巫·魔衣橱》中的角色欧瑞斯。山杜尔有时会被描绘成高贵的生物，而更多时候则被形容为野蛮好斗的形象。他们有着人类的头、脖、胸、臂，却有着马的身体和腿。

斯芬克斯的谜语

这个希腊神话中的传奇怪物长着翅膀，有着狮子的身体和女人的头，名为斯芬克斯（埃及版的斯芬克斯传统上来说长着男人的头）。传说，斯芬克斯被派到古城忒拜郊外，生活在一块石头上，用以惩罚它犯下的某个早已被淡忘的罪过。它的出现把过路人都吓得魂飞魄散。斯芬克斯就这么生活在石头上，它的任务便是让每一个过路的人猜谜语：“我早晨有四条腿，中午有两条腿，傍晚有三条腿，但在我最为弱小的时候，腿的数目最多。我是谁？”

只要路人没答对，斯芬克斯便会一口把他们吃掉！而希腊英雄俄狄浦斯猜出了谜底：“人在婴儿时期用四肢走路，成年后用两条腿走路，老了以后拄着拐杖，便是用三条腿走路。”

普罗米修斯

如果古希腊神话可信的话，那人类要感谢泰坦神普罗米修斯的地方可多了。神话中，普罗米修斯是个骗子、叛徒，是拒绝服从宙斯命令的神，但古希腊人民对他十分崇敬，将他视为最可爱的神之一。因为正是普罗米修斯创造了人类，为我们挺身而出，并将火种带给了我们。

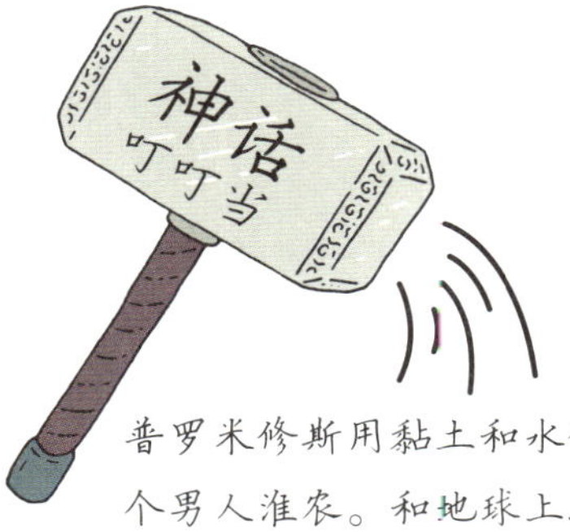

普罗米修斯用黏土和水创造了第一个男人准农。和地球上其他动物不同，普罗米修斯将准农创造得和奥林匹斯山上的诸神一样，能够直立行走。宙斯不喜欢普罗米修斯创造的人类，但他又不能让已经被创造的东西恢复到没被创造的状态。于是宙斯便把人类限制在地上，并剥夺了他们永生的能力。

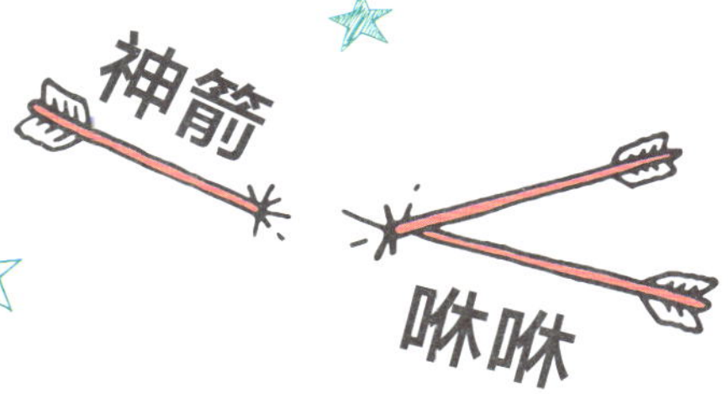

普罗米修斯有时候被描述为骗子。在《墨科涅的骗局》这个故事中（该神话教导人们不要全然相信自己所见到的），普罗米修斯耍了宙斯，让他在两份食物中挑选一份：藏在牛胃里的牛肉（藏于丑物中的美物），或裹着肥脂的骨头（藏于美物中的丑物）。宙斯选择了裹着肥脂的骨头，结果吃到反胃。

宙斯恼羞成怒，让铁匠、火山和冶金之神赫菲斯托斯创造了第一个女人潘多拉。潘多拉的任务便是毁掉普罗米修斯最为珍贵的作品……

普罗米修斯知多少

- 普罗米修斯是希腊神话中的泰坦神，也是火神。
- 他的著名事迹便是创造了人类，并从宙斯那里偷来火种给了他们。
- 普罗米修斯的名字意思是“先觉”。
- 普罗米修斯和他的兄弟埃庇米修斯承担的任务是为世界创造众生，并赐予人类强大的天赋。
- 普罗米修斯为自己的造物取名为“人”。
- 普罗米修斯轻率、愚蠢的兄弟埃庇米修斯在创造动物的时候心不在焉，把许多本应给人的强大能力赐予了动物：赐予了狮、熊锋利的爪牙，赐予了鸟儿翅膀，赐予了马儿迅捷的四肢。
- 正因如此，普罗米修斯手上已经没有能够赐予人类的强大能力了，于是他创造出一个新的能力，名为智慧，并将其赐予人类，让他们能够统御其他动物。
- 宙斯因为普罗米修斯为人类窃取火种一事大发雷霆，将他锁到一座山上。
- 每天宙斯都会派鹰去啄食普罗米修斯的肝脏，而每到夜晚，普罗米修斯的肝又会长回原样。

妖怪来了 #4

曼提柯尔

波斯传说中的曼提柯尔和埃及神话中的斯芬克斯很像。这头外表怪异的神话混合兽长着狮身、人脸、三排鲨齿、蝠翼、蝎尾，叫声和雾角一样低沉！它能一口把猎物吞下。在英语中，曼提柯尔的意思是“食人兽”。

雷鸟

在美洲原住民的神话中，有许多酷炫的生物值得我们认识，比如长角水蛇、阿万由（印第安神话中水的守护神）、可可波里（印第安神话中的生育之神）、匹亚萨鸟（印第安神话中的一种鸟）等。但它们谁都没有雷鸟酷炫。据说雷鸟是一种体型巨大、威力无比的隼，能够通过扇动翅膀招来雷电和乌云，通过眼睛放出闪电，它是大神之仆。如果你生活在2000年前的北美洲，你每天要做的事便是安分守己地活着，不要惹雷鸟生气。

雪人

雪人又叫可恶的雪怪，是一种体型巨大，类似猿猴的传说生物（cryptid，即有些人认为存在，但没有证据能够证明的生物）。据说雪人生活在尼泊尔和西藏附近的喜马拉雅山上。传说他身高能有3米，看起来像是由北极熊和楚巴卡杂交而成。雪人可谓是传说动物学中最有名的生物了，被认为是北美洲大脚怪同父异母的兄弟。

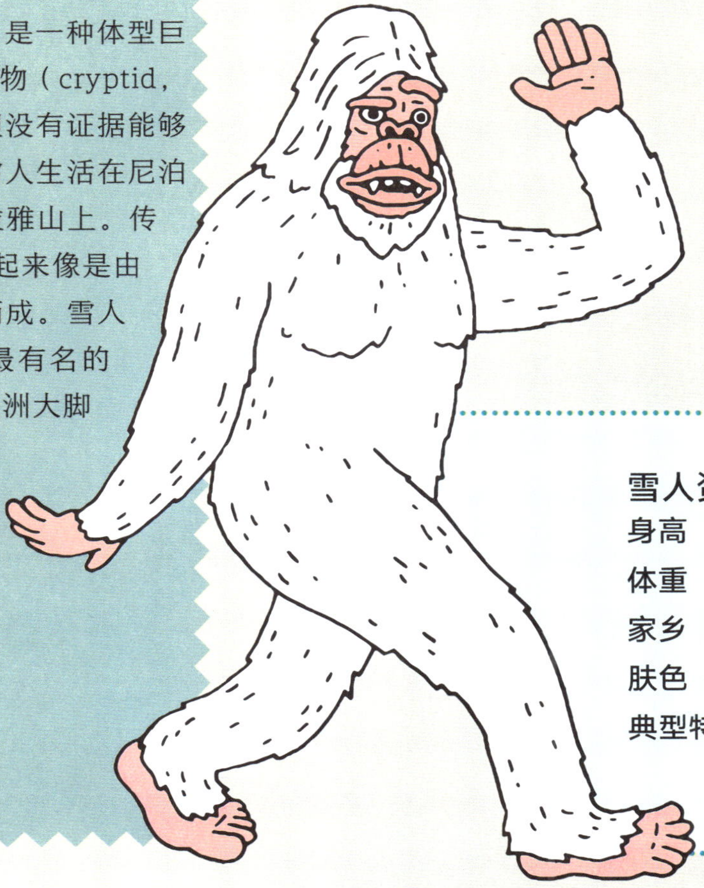

能够作为证据的脚印

埃德
蒙德·希拉里爵士
和丹增·诺盖是史上首次
登顶珠穆朗玛峰的人。1953
年，两人称在登山途中，看到
雪中有巨大的脚印。而他们
并没有看到野兽，那这些
脚印是谁留下的呢？

雪人资料

身高 超过3米

体重 又大又胖

家乡 喜马拉雅山脉

肤色 白

典型特征 大脚印

神秘之地 #1

从古希腊的至福乐土到玛雅传说中的西瓦尔巴（玛雅神话中的地府），在世界上最伟大的那些神话中，有许多充满魔法的国度、疆域和安息之地，而其中许多地方究竟位于何处，至今依然是个谜，等待我们去探索。

海格力斯之柱彼端的大陆

有一个未解之谜不仅鼎鼎大名，而且特别奇怪，让考古学家们抓耳挠腮、不知所以——沉没的亚特兰蒂斯文明到底在哪里？这个文明为什么会消失？这个文明是否真的存在过？

公元前370年，希腊著名哲学家柏拉图写了一本有关苏格拉底故事的书——《柏拉图对话录》。根据这本书的说法，这块堕落的大陆沉到了大西洋某处。

亚特兰蒂斯是由海神波塞冬在爱上凡人女子克莱托时建造的，它常常被人们理想化，被想象成是一个先进的，像乌托邦一样的社会，那里住满了聪明绝顶，如同外星人一样的超人。在流行文化中，亚特兰蒂斯被誉为天堂，在那里，强大的亚特兰蒂斯人统治着雅典人（也就是来自希腊雅典的普通人），试图让世界更为和平、有序。

贝梅尼

青春之泉的所在地？

香格里拉

喜马拉雅山麓的如诗田园

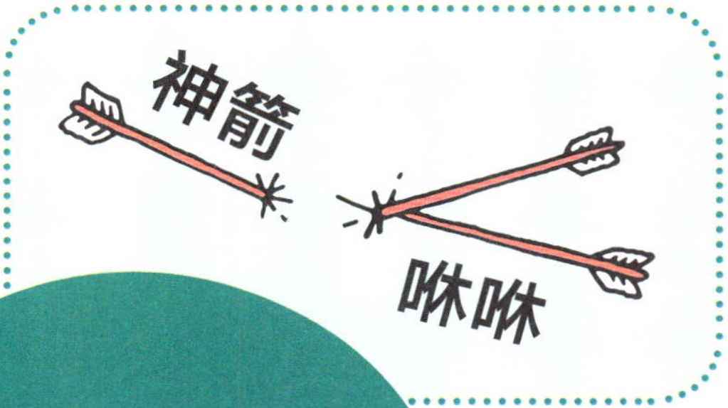

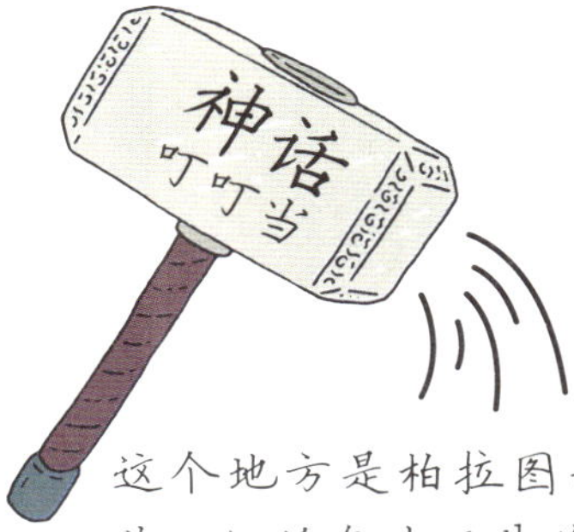

据柏拉图所说，亚特兰蒂斯其实是他编造出来的地方，用以讲述古代雅典人和亚特兰蒂斯超人之间的战争故事——换句话说，这个地方是柏拉图为了故事情节而设计出来的。沉没岛屿亚特兰蒂斯并不存在——只是神话而已。

世界上到处都有神话中的神秘之地供我们去寻找。这里列出十个，让大家先熟悉起来。

卡美洛
亚瑟王传说的中心

黄金国
南美洲的黄金城

瓦尔哈拉
英灵的殿堂

伊甸园
亚当和夏娃的家

阿瓦隆
亚瑟王传说中的天堂

阿卡迪亚
古希腊的世外桃源

安乐乡
天空会下奶酪雨

天堂
当然，还有地狱！

波斯王子

大约3000年前，在当今伊朗的所在地，存在着一个名为波斯的地方，那块地方数个世纪以来都是波斯帝国的中心。波斯帝国是一个从欧洲一直延伸到印度的强大王朝。这个帝国孕育了一篇史诗级的神话，善恶之间的战争从那时起便打响了……

在琐罗亚斯德教之后，波斯改信伊斯兰教

波斯帝国

波斯帝国于公元前550年由居鲁士大帝建立。大帝先生又继续征服了美索不达米亚、埃及、以色列、土耳其，让波斯帝国成为当时地球上最为辽阔的帝国！居鲁士允许被征服的人民保留自己的习俗和信仰，只要他们纳税并顺从即可。然而，总体来说波斯帝国践行的是先知（自认为能够同上帝说话的人）琐罗亚斯德的教诲，即琐罗亚斯德教。在这个宗教中，人人崇拜的至高“善神”名为阿胡拉·马兹达。

神话小偷

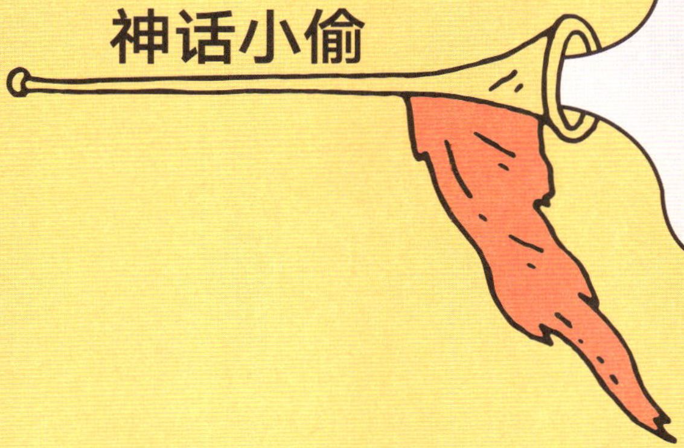

正是波斯人创造并推广了“天堂”的概念。天堂就是……嗯……一切如天堂般美好的地方！英语中“天堂”（*paradise*）一词源于古伊朗语中的“*paridayda*”。

密特拉是波斯的神灵，一直俯瞰着世界。他于12月25日诞生，母亲是个童贞女。他常常被描述为耶稣基督的原型。

琐罗亚斯德教

波斯神话诞生一千年后，大约公元前1500年，琐罗亚斯德教应运而生。这一宗教秉持了先前神话信仰中的许多成分，但也增加了新的主题、神祇和神话，最终孕育出一个基于宇宙中善恶斗争的神话体系。两个强大的孪生神阿胡拉·马兹达（创世神、光、真理、善之神）和安格拉·曼纽（黑暗、谎言、邪恶、破坏、疾病、恶魔之神）争斗不休。整个世界都是他们的战场。他们打得难分难解，而最终的胜者将登上至高神的宝座。为了帮助阿胡拉·马兹达赢得这场战争，有一群天使（名为雅札塔斯）和一群善灵（名为阿沙万斯）来为他帮忙。对于那些信仰琐罗亚斯德教的人来说，善恶之战依然打得如火如荼。

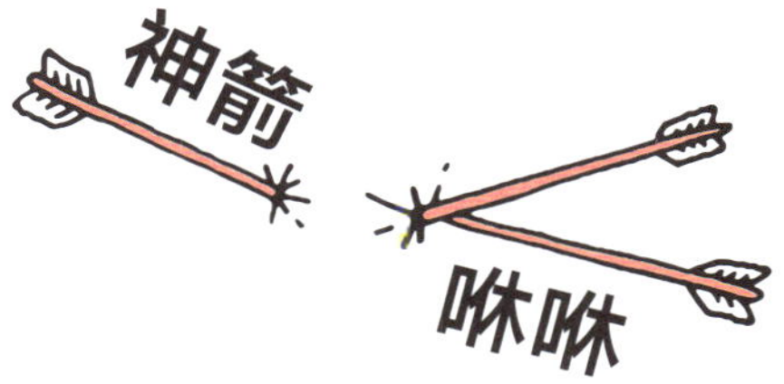

人们认为琐罗亚斯德教对犹太教/基督教和伊斯兰教产生了巨大影响，研究神学的历史学家认为这些宗教都是由波斯传统发展而来的。

神话中的混合生物 #2

格里芬

希腊神话中有一头名为格里芬的怪物，它有狮子的身体，老鹰的头和翅膀，蛇的尾巴。因为结合了老鹰和狮子，所以格里芬称霸天空和陆地，是力量和智慧的象征。众所周知，格里芬为宙斯和阿波罗拉战车。

弥诺陶洛斯

弥诺陶洛斯是牛头人身的怪物，喜欢大口吃人肉。在希腊神话有关弥诺陶洛斯最为著名的故事中，这头怪兽是弥诺斯王的妻子和一头公牛所生。弥诺斯王将弥诺陶洛斯锁在一个迷宫之中，每过九年便从雅典带来七对童男童女给他吃。直到有一年，雅典英雄忒修斯认为必须停止这样的人祭，决定亲手去杀死这头野兽。弥诺斯王美丽的女儿阿里阿德涅同意助这个帅气的英雄一臂之力，于是给了他一个线团，让他能够沿着来时的路走出迷宫。我们的英雄赤手空拳杀死了弥诺陶洛斯，然后沿着阿里阿德涅特地给他的线，气定神闲地走出了迷宫！

阿穆特

在古埃及神话中，冥土恶魔阿穆特当属最为可怕的怪物——她有着鳄鱼的头，前半身像狮子，后半身似河马。阿穆特被称为“吞噬者”，是古埃及人最害怕的怪物。

狂战士（熊皮武士）

狂战士是北欧神话中疯狂的战士，半人半熊。“狂战士”一词的意思是“无衣”，也就是不穿护甲的意思！狂战士被认为是狼人的原型。在这个传说流传的过程中，熊最终变成了狼。根据神话，狂战士的咆哮有着超乎寻常的力量，而且不论钢铁还是火焰都无法伤到他们。然而，不战斗的时候，狂战士常常会发狂，因而英语有一句俗语——“变成狂战士”。

盒子里是什么？

在古希腊神话中，潘多拉是第一个被创造出来的女人。她的任务是通过打开魔盒（潘多拉之盒）毁灭人类。通常认为，这个神话是在暗喻人类的好奇心，而它之所以能够被传诵数千年，只有一个理由：我们都想知道盒子里是什么。

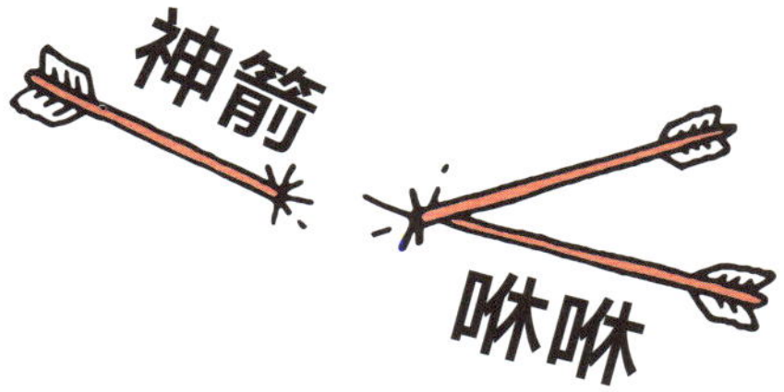

历史上，基督教历史学家对潘多拉的盒子这一神话做了分析研究，发现潘多拉和夏娃（《圣经创世记》中有详尽记载的第一个女性）有相似之处。夏娃是第一个女人，由于受到蛇的蛊惑，吃了禁果，给清白无辜的伊甸园带去了灾祸。

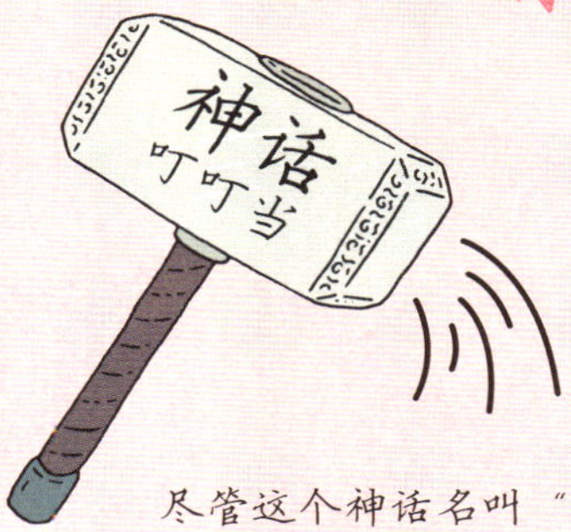

尽管这个神话名叫“潘多拉的盒子”，但历史学家认为它应该是个大罐子。但“潘多拉的大罐子”这个称谓太难听了！

潘多拉的盒子意味着什么

几百年来，这个神话的含义一直困扰着历史学家。许多人认为，潘多拉把希望关在盒子里是想把希望留给人类。但有些人认为潘多拉把希望关在盒子里，而不让希望飞出，是想让人类失去希望。19世纪哲学家弗里德里希·尼采说出了最坏的情况：“潘多拉把希望留给人类，从而让人类不得不品尝失望的苦果。”

潘多拉知多少

☆ 潘多拉由司掌冶金的泰坦神赫菲斯托斯用黏土塑造而成，是第一个女人。

☆ 雅典娜赐予她生命，阿芙罗狄忒赐予她美貌，赫尔墨斯赐予她狡黠和奸诈。

☆ 宙斯将潘多拉作为礼物送给了普罗米修斯的傻兄弟埃庇米修斯。尽管普罗米修斯警告埃庇米修斯不要接受宙斯的任何礼物，但埃庇米修斯依然迎娶了潘多拉。

☆ 潘多拉将盒子带到了人间，尽管她自己并不知道盒子里装了什么。潘多拉打开了盒子，将战争、衰老、邪恶、疾病、贫穷、饥荒等一切我们能想到的灾难都释放到了世界上，由此，宙斯达成了报复人类的目的！

☆ 潘多拉打开盒子的时候，灾难从盒子中飞到了世界上，唯有希望——最后一件能够抚慰人心的东西——留在盒底。

神话存在吗？

神话是我们日常生活的一部分，不论我们在枕头底下放牙齿等待牙仙来拿，还是前往苏格兰试图目睹尼斯湖水怪，都和神话息息相关。

你相信童话吗

童话人物和童话形式多种多样，但世界上许多文化中的童话是相通的。从彬彬有礼的家中仙子到拿走换牙儿童牙齿（当然，会有奖励）的牙仙，从教母级的童话人物（比如灰姑娘）到伊斯兰民间传说《一千零一夜》中的阿拉丁，童话人物遍布世界各地！她们是落入凡间的天使，周身闪光，长着尖尖的耳朵，手持魔杖，或者她们仅仅只是自然界发光现象的人格化身？精灵、仙女、小妖精、小仙子、小水仙……在不同的童话中，她们有着不同的名字！

尼斯湖水怪

尼斯湖水怪又叫尼西，是传说中尼斯湖——苏格兰最大最深的湖——里的湖怪（尽管并没有证据能证明它的存在）。有关这头怪兽的传说流传了数个世纪之久。

据记载，前往苏格兰传教的爱尔兰传教士圣高隆是尼斯湖水怪的首位目击者，他于公元565年目击了尼斯湖水怪。据传说，圣高隆通过比画十字、喝令其离去的方式阻止了水怪袭击一男子。

然而，尼斯湖水怪并不仅仅存在于中世纪神话中。现代依然有不少人声称自己看到了它，最出名的便是1933年那次目击。按照通常的说法，这头怪兽9米多长，有着长长的脖子，在身体中部长着鳍足——这一描述和名为蛇颈龙的恐龙形象相吻合。

1987年发起的“深入扫描行动”是迄今为止花费最大的神话怪物搜寻行动，耗资超过100万英镑。这一行动通过用船只装载声呐扫描了整个尼斯湖。他们并没有发现尼西，但确实收到了三个声呐回声，据船上的人说，探测到的物体“比鲨鱼大，比鲸小”。探测到的究竟是什么呢？

尼斯湖水怪档案

身高 未知

体重 未知

籍贯 苏格兰，尼斯湖

肤色 未知

特征 长脖子、鳍足

人们对它的称呼 尼西

印度教时代

4000多年以来，印度教一直稳居世界主要宗教之列。在这段岁月中，数以千计的神圣故事和英雄史诗编织成印度教神话。这里所说的印度教包括阿亚瓦芝、泰米尔文化，以及佛教。这些神话同印度文化有机结合，从而跻身世界上最丰富的神话体系之列。

梵天-摩罗

印度教徒相信世上只有一个真神——名为梵天的至高之灵。所有印度教徒都相信梵天存在于每一个人体内，是永恒的灵魂，名为“阿特曼”。大多数印度教徒都有一个属于自己的神，比如湿婆、克里希那或吉祥天女，他们天天都会祭拜这些神。这些神比梵天低等。

印度神祇

梵天	创世神
帕尔瓦蒂	湿婆之妻，既慈悲又残忍
迦尼萨	好运与智慧之神
因陀罗	雷雨之神
湿婆	复仇和破坏神
伐楼拿	天空之神，后来成为水神
毗湿奴	维护之神，生命的保护神

化身

印度教神话最核心的信仰之一是化身（有时候被称作灵魂转世）：你死的时候，灵魂会在另一个活着的肉体中重生。

排灯节

排灯节又叫光明节，是印度最大、最古老的宗教节日，被认为是新年的开端。全世界印度教徒都会庆祝排灯节，时间通常在十月。排灯节是用来纪念摩罗登基的——神王摩罗同楞伽的恶魔之王罗波那进行了一场旷世大战。这场战争象征了印度教神话中善恶之间永恒的争斗。排灯节，也就是一排排灯火的节日，象征光明战胜黑暗，知识战胜蒙昧，希望战胜绝望。印度教徒们通过点亮油灯、燃放烟火、装点屋子、向印度教诸神（如悉多、摩罗、罗陀、克里希那、财富女神吉祥天女、迦尼萨）祈祷等方式庆祝这个节日。

迦尼萨说，*Shubh Diwali*——排灯节快乐！

旁征博引

《摩诃婆罗多》和《罗摩衍那》这两部印度史诗写于公元前300年到公元300年之间，讲述不少印度教主神的故事。此后，《往世书》继续讲述了印度教神话和宗教的故事。《往世书》是一本神圣的书，写的都是很久以前的事。

迦尼萨被描绘为象首人身的形象，或许能称得上是印度神话中最受欢迎的神。

你相信魔法吗？

魔法及超自然能力和巫师、巫婆息息相关，当然，还离不开魔杖、扫帚，以及其他头儿尖尖的东西。拥有魔力或超自然能力的人类或超自然生物有着很多种称呼：巫师、巫婆、术士、魔法师、妖人、萨满、法师、占卜者。

摩根勒菲

英国亚瑟王传奇中的摩根勒菲是一个邪恶的妖女，一直试图用魔咒对抗、捉弄她的死对头梅林，也就是亚瑟王的巫师朋友。摩根一直伺机推翻亚瑟王，毁灭卡美洛，杀光圆桌骑士。

梅林

梅林是一位强大的巫师，以伙伴和顾问的身份一生陪伴亚瑟王左右。他或许称得上史上最有名的巫师。梅林的神话取材自著名魔法师米尔丁的故事，米尔丁最早见于中世纪凯尔特神话。广为人知、深受欢迎的梅林经典形象首次出现于1136年左右成书的《不列颠诸王史》。这些文字记录中，梅林的形象是由历史和传说杂糅而成的。

喀耳刻

在荷马的希腊著名史诗《奥德赛》中，主人公奥德修斯遇见了一个名为喀耳刻的女巫。喀耳刻有将人变为动物和怪物的能力！她住的岛上到处都是狮熊豺狼——这些动物都是由被她施了邪恶法术的人变的。尽管她把奥德修斯许多手下都变成了猪，但奥德修斯有一种特殊的药草能够抵御喀耳刻的法术。

现实世界中的猎巫

在欧洲中世纪——大约1000年前——人们普遍认为巫婆是存在的。巫婆被认为是恶魔的信徒，正因为这样，欧洲大陆上数以千计的妇女因为被指控施巫术而遭到处决。她们被绑在柴堆上活活烧死，让被恶魔附着的躯体在大火中泯灭。17世纪，大量英国人移居北美，将对巫婆的恐惧也一起带到了新世界。1692年，马萨诸塞州塞勒姆就发生过臭名昭著的猎巫行动，这场浩劫夺去了19位妇女的生命。

《吉尔伽美什史诗》

《吉尔伽美什史诗》是迄今所发现的年代最为久远的文学作品，不论对于3500年前居住在古伊拉克的苏美尔人，还是对于今天的人们，它都具有重要意义。这部史诗讲述了一个男子的一生，他的朋友被死亡夺走，于是他踏上了旅程，探寻永生的奥秘。

旁征博引

旅行途中，吉尔伽美什遇到了一个女神，女神对他说了下面这段话，试图说服他放弃探寻永生：

吉尔伽美什，汝将去向何方？
汝追寻之生命必不可寻。
天神造人时，
将死亡放在一边，
将生命置于手中。

吉尔伽美什是传说中苏美尔人的国王，乌鲁克的统治者，是古伊拉克神话中十分受欢迎的英雄。一些学者认为历史上确实存在他的原型。

吉尔伽美什知多少

- 史诗的主题是吉尔伽美什通过完成英雄事迹来追寻名誉、荣耀、永生。

- 史诗中，大洪水的故事最为著名。许多人认为《圣经》中诺亚与洪水的故事便是受到了《吉尔伽美什史诗》的启发。

- 本书由大约公元前2100年写成的五部诗歌组成。五部诗歌合并在一起，组成了一部史诗！

- 本书前半部分讲述了乌鲁克国王吉尔伽美什和恩奇都的故事。恩奇都是众神创造出来反对吉尔伽美什的。

- 吉尔伽美什和恩奇都两人酣战一场之后，成了亲密无间的好友。

- 恩奇都死后，吉尔伽美什踏上了自我发现之旅，以期寻找永恒生命的奥秘。

- 吉尔伽美什在旅程最后发现死亡是存在的终点。

最史诗级的史诗！

《吉尔伽美什史诗》探索了人之为人的意义。此诗的大前提是：我们知道自己终有一死的时候，应当怎么生活？

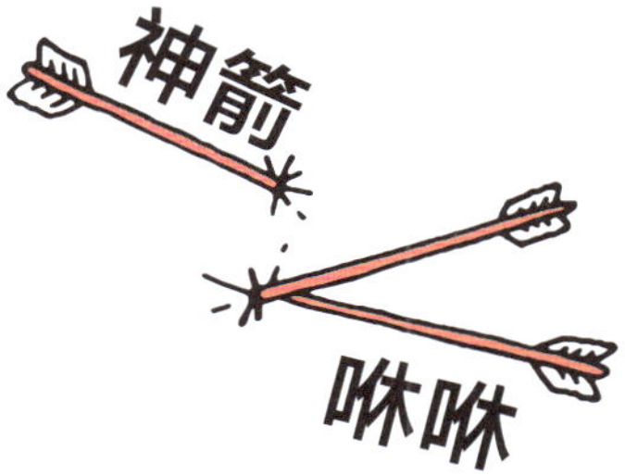

2011年10月，一块刻着《吉尔伽美什史诗》残缺内容的泥板被发现。当时伊拉克的苏莱曼尼亚图书馆从一个走私商人手中购买了一套泥板，其中包括《吉尔伽美什史诗》。

《吉尔伽美什史诗》最初以楔形文字写在12块泥板上。人们在亚述古城尼尼微的遗址中发现了其中三分之二的内容。这些泥板来自亚述末代伟大君王亚述巴尼拔的图书馆，亚述巴尼拔于公元前600年左右在位。

站在巨人的肩膀上

神话传说中不乏又高又壮的巨人，他们扮演着诸多角色。其中一些巨人是邪恶的妖怪，听从他人的驱使；另一些巨人性情温和，充满同情心，却被人误解；还有一些巨人笨头笨脑的。

芬恩·麦克库尔

芬恩·麦克库尔先生是爱尔兰传说中的主角，是爱尔兰最高大、最强壮的巨人。传说，苏格兰巨人安格斯想要和芬恩决一胜负，证明谁才是最强大的。芬恩接受挑战，为了和对手一决高下，他在海中用岩石筑起一条通往苏格兰的道路，也就是著名的“巨人之路”。在前往苏格兰的途中，他听说安格斯的个头是自己的两倍，吓得不轻。但他想到了一个诡计。到了决斗当天，安格斯沿着巨人之路从苏格兰来到了芬恩的家门口，敲响了门。芬恩的妻子开了门，并告诉安格斯说芬恩出去散步了。安格斯听到了婴儿的啼哭声，进门一探究竟，看到摇篮中躺着一个巨大的婴儿。“如果芬恩的孩子就这么大，那可想而知芬恩有多高大了！”想着想着，安格斯不禁哽咽了起来。他夺门而出返回苏格兰，并不知道那个婴儿是芬恩伪装的。

真相速达

参观美国最大的甜玉米和豌豆工厂的游客们不断询问在哪里才能找到罐头上的巨人，于是，一座高16.8米，重4吨的快乐绿巨人像于1978年在明尼苏达州落成。

神话小偷

英语中“巨人”一词源自希腊语中的“gigantes”（意为“由土而生”）。在希腊神话中有一群独眼巨人，名为基克洛普斯。他们（巨大）的独眼位于额头中央。正是基克洛普斯赋予奥林匹斯神宙斯投掷闪电的能力。

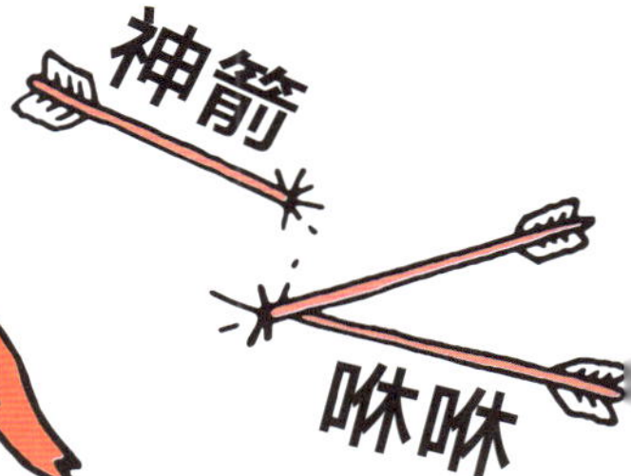

美洲原住民拉科塔族的神话中，瓦兹亚是一个巨人，职责是在冬天刮风。

约顿海姆的巨人

巨人，或者叫约特纳，在北欧神话中横行霸道。北欧神话中巨人数量成千上万，从约顿海姆的霜巨人、巨人国（国中所有巨人都住在名为厄特加尔的巨型城堡中）到穆斯贝尔海姆的火巨人，不一而足。作为邪恶和危害之源，他们为诸神带去了浩劫和破坏。在诸神黄昏（见第100页）中，穆斯贝尔海姆的火巨人们在世界毁灭中扮演了主要角色。

珀尔塞福涅和石榴籽

在古希腊神话中，这个名字很难念的珀尔塞福涅是美丽的生育女神，是宙斯和农业女神德墨忒尔的女儿。罗马人也很喜欢她，称她为“普罗塞耳皮娜”。当珀尔塞福涅和哈迪斯结婚，当上了冥土王后以后，她的生活急转直下……

珀尔塞福涅的名字可不能想当然地念成“珀尔西奉”哟！

四季

最著名的珀尔塞福涅神话，是一个讲述春夏秋冬四季循环的寓言故事。对于古希腊人来说，一年中的某些时段大地遍布植被，另一个时段植被纷纷死去，到了天气转暖又重获新生——这是一个难解之谜。为了解开这个谜团，他们编造了珀尔塞福涅和石榴籽的故事。

淘气的哈迪斯

在希腊神话中，冥土之神哈迪斯登场的故事并不多。而其中最为著名的一个神话当属哈迪斯绑架珀尔塞福涅的故事。一天，哈迪斯正在大地上驾车，看到了美丽的珀尔塞福涅，对她一见钟情。于是他请求宙斯准许自己迎娶珀尔塞福涅，但珀尔塞福涅的母亲德墨忒尔说什么都不同意。于是，坏爸爸宙斯便允许哈迪斯绑架珀尔塞福涅。一天，珀尔塞福涅在采花，正当她弯腰去采一朵芬芳的花朵时……脚下的世界崩塌，把她吞了下去。驾着马车的哈迪斯出现，一把搂住珀尔塞福涅，迅速把她带到了冥土。德墨忒尔发现自己女儿消失了，四处寻找，她脚步所及之地，洪涝肆虐，灾害不断。

宙斯对德墨忒尔愤怒的后果感到害怕，警告哈迪斯必须把珀尔塞福涅送回她母亲的身边。然而，在让珀尔塞福涅离开之前，哈迪斯给了她一个石榴。珀尔塞福涅把石榴吃了，而她并不知道不论谁吃了死者国度的食物，都将永远待在冥土。哈迪斯你这个骗子！

最终，宙斯和哈迪斯达成协议：珀尔塞福涅每年和母亲待一段时间，其余时候和哈迪斯一起待在冥土。珀尔塞福涅和母亲在一起的时候，大地生机盎然，而当她和哈迪斯在一起的时候，德墨忒尔由于女儿离开而伤心，大地因此毫无生机，一片荒芜。

神箭咻咻

尼哥罗曼蒂安是古希腊供奉哈迪斯和珀尔塞福涅的神庙。神庙所在地被认为是通往哈迪斯冥土的入口，也就是地狱之门……

北欧的超级英雄

奥丁

又称 战神的首领

特殊能力 有一个名为希利德斯凯拉夫的王座，坐在上面，他就可以看到宇宙中发生的一切。

喜好 将自己装扮成旅行者，在人类世界漫游而不为人所知。

伙伴 两只宠物乌鸦，分别叫做福金和雾尼。他们飞翔在宇宙中，带回消息。

索尔

又称 雷神

特殊能力 有一把名为姆乔尔尼尔的飞锤，这把飞锤百发百中，还有起死回生的能力。他还戴着一条名为梅金吉奥特的腰带，能够使他的超人之力翻倍。

你知道吗？ 在许多语言中，星期二就得名于索尔。

伙伴 一对公羊，分别叫做坦格乔斯特和坦格里斯尼尔。它们拉着索尔的战车穿越天空。

洛基

又称 恶作剧之神，最终倒向邪恶。

特殊能力 变形

异事 洛基变形为母马后，生下了一匹马，名为斯雷普尼尔。

伙伴 索尔的锤子曾被一个巨人偷走，洛基和索尔假扮为新婚夫妇，结伴去夺回锤子。

弗蕾亚

又称 爱神

特殊能力 她有一袭能让人飞翔的羽衣。此外，弗蕾亚还有一条布里希嘉曼项链，而这条项链受到了黑侏儒魔法的诅咒。

出行方式 由两只大猫拉的战车。

伙伴 一只名叫希尔帝斯维尼的猪，一直陪伴在她左右。

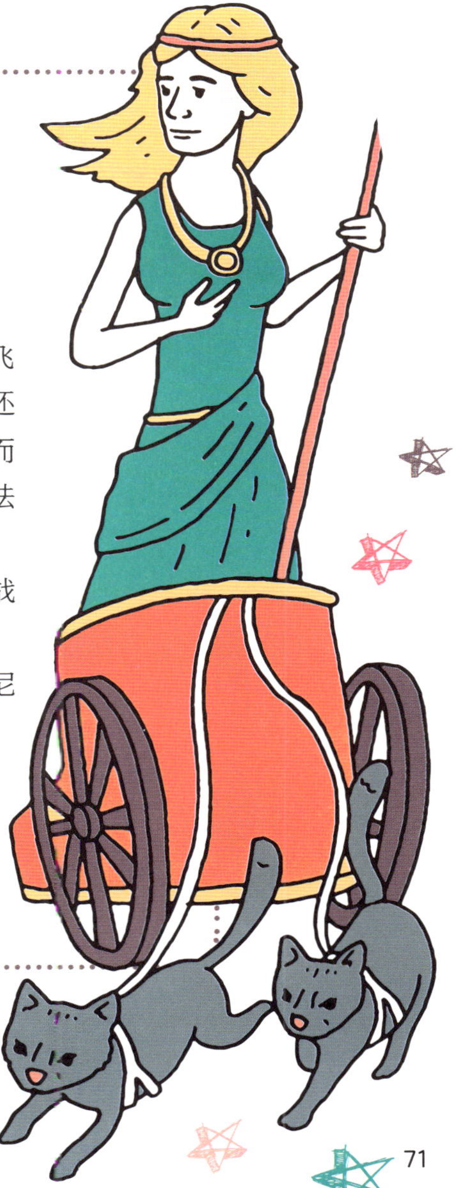

恶作剧之王

人人都知道拿着锤子的索尔——北欧的雷神，他超酷的。但你对于他被领养来的兄弟洛基了解多少呢？淘气的洛基神在神话中可是恶作剧之王……

洛基一手促成了奥丁爱子巴德尔的死。一天，诸神正在和巴德尔闹着玩儿，朝他身上扔东西，不怀好意的洛基骗目盲的神霍德尔拿槲寄生去碰巴德尔，而他明明知道槲寄生会要了巴德尔的命。

洛基有几个孩子，但它们都不是人类。洛基和第二任妻子巨人安格尔波达生了三个可怕的后代：一个名为海拉的超自然生物，一条名为耶梦加得的蛇，一头名为芬里尔的狼。这些生物长大之后，奥丁将他们放逐出阿斯加德。他把海拉放逐到了一个名为尼福尔海姆的国度，在那里她成了死亡女神。耶梦加得被扔进海里，而芬里尔则被魔链拴在一块大石头上。

他以喜欢恶作剧闻名，是个骗子，是神话中的典型人物形象。

为惩罚洛基，诸神抓住了他的两个儿子纳尔弗和瓦利，把瓦利变成狼，让他将亲兄弟纳尔弗撕成碎片。他们接着用纳尔弗的肠子把洛基拴到洞穴中的岩石上。岩石上方有一条毒蛇，其释放的毒液会缓缓滴到洛基的身上。据说地震就是由于洛基痛苦的喊叫引起的！

根据北欧传说，洛基将一直留在山洞中，直到世界末日——诸神黄昏降临（见第100页）。据说在诸神黄昏中，洛基会被释放，带领穆斯贝尔海姆的火巨人同诸神作战，但会在同海姆达尔的战斗中死去。

13世纪北欧诗集《诗体埃达》是最早提到洛基的文献之一。

洛基能够变形，他曾将自己变成鱼、马、苍蝇，甚至老妇人。

洛基是北欧的火神

洛基的父亲不是奥丁。洛基是一个巨人，因此他的母亲可能也是巨人。

洛基生活在北欧众神之家阿斯加德。北欧神话中有九个世界，阿斯加德便是其中一个。洛基陪伴索尔一起完成了许多任务，进行了无尽的冒险。

魔法生物 #1

邪恶生物是妖怪神话中的一部分，但此外还有魔法生物！

独角兽

英语中的“独角兽”一词在拉丁语中意为“一个角的”，指一种出现于中国、印度、美索不达米亚（中东）、欧洲传说中的假想生物。从中世纪起，独角兽便常常被描述为额头长着独角的马。尽管对于独角兽形象的描写众说纷纭，但对于角的描写是统一的。有些独角兽的形象或许取材于真实动物，比如独角犀牛或独角鲸（一种长着一根长长牙齿的小型鲸鱼，这根牙齿呈螺旋形，看起来像一个象牙色的角）。

在中国神话传说中，独角兽被认为是麒麟，是好运的象征。它的出现标志着伟人的出生或逝世。据说孔子出生时，就有麒麟出现过。

斯雷普尼尔

在北欧神话中，斯雷普尼尔是奥丁的坐骑，是一匹长着八条腿的灰马，由洛基和公马斯瓦迪尔法利所生（当时洛基将自己变成了母马！）。斯雷普尼尔的八条腿据说代表了天堂的八个维度，他有着惊人的力量和速度，被认为是世界上最好的马。他名字的含义是“滑行”，所以骑着他应该非常平稳吧。

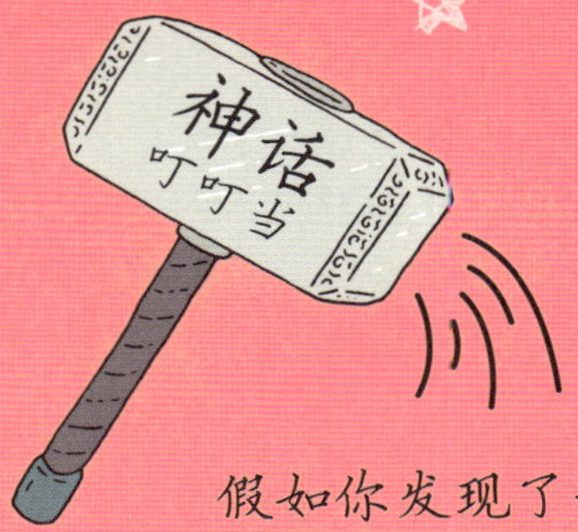

假如你发现了一只独角兽的角，有三种方式可以甄别其真伪。

1

用角尖在地板上画一个圈。在圈内放一只蜘蛛，如果蜘蛛无法离开这个圈，那这只角便是真的。

找一只生病的动物（比如说小鸟），把角的一部分磨成粉喂给它吃。如果它立即痊愈，那这只角便是真的。

2

3

接一壶冷水，把角放进去，如果水沸腾了，那这只角便是真的。

凯尔特神话

亚瑟王、苏格兰、高卢、威尔士、爱尔兰等文化融合在一起，铸就了源远流长的凯尔特神话体系。谈到冒险、英雄主义、爱情，凯尔特神话的魅力不论和谁相比，都毫不逊色！

凯尔特人通过将武器扔到湖泊、河流、沼泽中的方式把武器献给诸神。他们认为这些地方很特别。

我是传奇

凯尔特人曾是称霸欧洲的强大民族，而在公元43年，罗马人入侵英国，凯尔特人惨遭屠戮，最后只剩下几个小部落。然而，尽管受到侵略，凯尔特神话却得以幸存，这多亏了中世纪爱尔兰和威尔士僧侣们把故事记录了下来。

毕竟是传说

古凯尔特人有一套由数百个故事组成的庞大神话体系，但我们对于凯尔特神话中神、英雄、反派的知识其实来源于罗马人，因为凯尔特战士从没有留下任何文字。毕竟如果你拿起笔的话，怎么还拿剑呢？

穿着苏格兰短裙的凯尔特人

耶稣基督诞生前1000年，也就是距今3000年前，凯尔特人就已经遍布欧洲了。他们的聚集地从不列颠岛屿一直延伸到土耳其。他们一个个都是战士，以坚毅勇猛著称，他们的骁勇让罗马人心生钦佩！而凯尔特人也有他们自己的神，他们会在和罗马人展开大战之前向许多神祈祷：

- **布丽吉特** 知识、治愈、冶金女神
- **达格达** 生死之神
- **达努** 生育女神，达那神族的母亲
- **埃波娜** 和生育、水、死亡有关的女神
- **鲁格** 太阳、战争、治愈之神
- **莫瑞甘** 战争和死亡女神

旁征博引

凯尔特神话中有许多同自然界有关的象征：野猪象征着勇气和力量；鱼象征着知识；蛇和龙象征着麻烦；鸟儿象征着预言；马、牛羊、猪则象征着多子多孙。

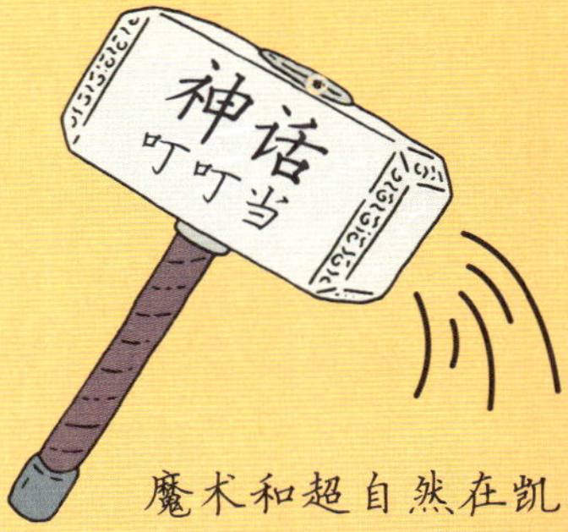

魔术和超自然在凯尔特神话中扮演了重要角色。威尔士传说中的法师米尔丁在后来成为亚瑟王传说中著名的巫师梅林。凯尔特神话另一个常见的主题是魔法锅，象征着重生，锅中煮的东西能够让受了致命伤的战士恢复健康。

女神啊，美丽的女神

神话不只和男人有关：有一些超酷的神话是关于女神、天使的。她们或许代表爱、生育或美丽，但也能叱咤风云。

女神知多少

世界神话中有成千上万的女神，列都列不完。所以我们就先看十个最酷的女神吧。其他女神就留给你自己去发掘！

#1 阿芙罗狄忒

希腊神话中花容月貌的爱情、美貌、生育女神。她名字的意思是“由泡沫而生”，因为她就是在肆虐的大海上、破碎的波涛中诞生的。她是宙斯和狄俄涅的女儿，驾着由天鹅拉的战车轻轻滑过天空。

#2 阿丽安萝德

凯尔特（威尔士）神话中的生育、重生女神。她出现于英国最早的散文《马比诺吉昂》中，这本散文故事集可以追溯到13世纪。

#3 阿尔忒弥斯

特立独行的阿尔忒弥斯是希腊的狩猎、自然、诞生女神。她是宙斯和勒托之女，阿波罗的孪生姐姐。土耳其有一座为她而建造的白色大理石神殿，这座美丽的神殿是“世界古代七大奇迹”之一。

#4 雅典娜

希腊神话中的战争、智慧女神。她是宙斯的女儿，从宙斯头颅中蹦出，刚出生时便是成人模样，身披铠甲！

#5 巴斯泰托

巴斯泰托是埃及神话中著名的猫女神，是猫和孕妇的守护神。家猫在古埃及备受尊崇，在宫殿中，猫被饰以宝石项圈，甚至可以从法老的餐盘中吃食。1887年发掘布巴斯提斯猫女神巴斯泰托神庙的时候，出土了超过30万只猫木乃伊。

#6 克瑞斯

罗马神话中农业、谷物女神克瑞斯的名字Ceres由古老的词根“ker”而来，意思是“生长”。相应地，克瑞斯成了我们现代英语中谷物cereal的来源。

#7 凯丽德温

凯丽德温是一个司掌月亮、魔法、农业、自然、诗歌、语言、音乐、艺术、科学、占星术的魔女。

#8 弗丽嘉

北欧神话中的婚姻、生育、母亲、智慧女神，以预言闻名。

#9 吉祥天女

印度神话中的纯洁、财富女神。吉祥天女常被描绘成一个长着四条臂膀的美女，站在莲花之上。在著名节日排灯节上，人们会专门祭拜吉祥天女。

#10 维纳斯

罗马神话中爱与美的女神。她出现在《维纳斯与王后》这个故事中，是丘比特（就是拿着弓箭的那个）的母亲，是奥林匹斯十二神之一。

“恺撒的灵魂，四处游荡，伺机复仇，身边陪着的，是从炙热地狱中来的阿忒，他将以君王的口气，向罗马全境发出屠杀的号令，释放战争的恶犬……”

宙斯的大女儿，希腊神话中的坏女神阿忒，是邪恶、不幸、妄想、沉溺、愧疚、迷恋、恶作剧的化身。阿忒在古希腊神话中是一个教唆、引诱男子做出最终会导致其毁灭行为的女神。她的故事教导我们不要被自己欲望所蛊惑。威廉·莎士比亚《裘力斯·恺撒》一书中最广为人知的段落，便提到了阿忒。

珀尔修斯和美杜莎

古希腊有一个残忍的国王名叫波吕得克忒斯，他想娶一个名为达那埃的女子为妻。达那埃有一个勇敢的儿子名叫珀尔修斯，珀尔修斯并不喜欢波吕得克忒斯。于是波吕得克忒斯国王便让珀尔修斯去执行一项危险的任务，希望他永远不要回来。

美杜莎

珀尔修斯的任务便是杀死戈耳工（即蛇发女妖）美杜莎，并带回她的头颅。美杜莎曾经是一个美貌而自负的女孩。她犯了一个错——称自己是世界上最美貌的女子，比任何一个女神都要美丽。诸神听说了这件事，降下惩罚，将她变为戈耳工——蛇发女妖。最可怕的便是：任何被她看见的人都会变成石头。

任务

珀尔修斯深知自己的任务极为艰险，于是去雅典娜神庙祈祷。诸神听到了他的祈祷，赐给了他五件礼物：一个隐身头盔、一把剑、一块闪闪发光的盾牌、一个魔法袋。最后一件礼物是赫尔墨斯的那双长着翅膀的鞋，能让珀尔修斯飞翔。

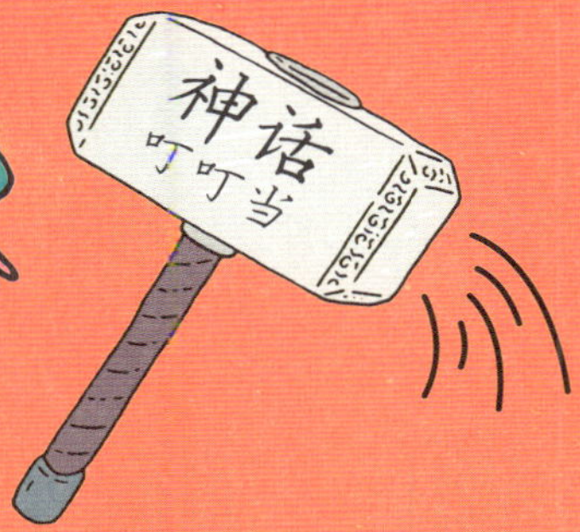

美杜莎出现在西西里岛的旗帜上。许多著名的艺术家（包括毕加索、鲁本斯、卡拉瓦乔）都画过美杜莎。

珀尔修斯飞到了美杜莎居住的山洞，勇敢地走了进去。但他该如何去打败一个自己连看都不能看的妖怪呢？珀尔修斯记起了自己从诸神那里得到的礼物，于是拿盾牌当镜子来观察美杜莎。他闭上双眼，挥动宝剑，一剑就把美杜莎的头砍了下来。他把头装进袋子里，回程觐见波吕得克忒斯国王。

国王拿起了美杜莎的头，珀尔修斯还没来得及提醒他，波吕得克忒斯便和美杜莎四目相接，变成了一块石头。珀尔修斯成功完成了挑战，他的母亲现在安全了。

三人成众

美杜莎有两个姐姐，丝西娜和尤瑞艾莉。美杜莎为凡身，而此二人有着不朽之身，但她们和美杜莎一样有着骇人的容貌。她们都是海神福耳库斯和他姐妹刻托的女儿。如今，我们之所以记得美杜莎的名字，是因为她是荷马在著作中唯一提及的戈耳工女妖。

大脚怪的大脚

大脚怪是一种类似巨猴的妖怪（你也可以称其为类似猿猴的神秘生物），据说生活在北美的森林中。

疯狂的猴子

大脚怪经常被描述为一种体形庞大、浑身是毛的“两足人形动物”（可以直立的猴子）。Youtube上有一段有关大脚怪从森林中走过的视频，但被斥为弄虚作假，这段视频里的并不是大脚怪，而是一个“装扮成猴子的高大男子”。

过去二十年间，科学家对北美大脚怪是否存在持怀疑态度，认为大脚怪是民间传说、误认、骗局杂糅而成的结果，因为这种生物为了繁衍和生存，需要捕食大量的猎物。更何况，从来就没有过有关大脚怪排泄物的证据，这说明要么被它吃了，要么被它藏起来了。

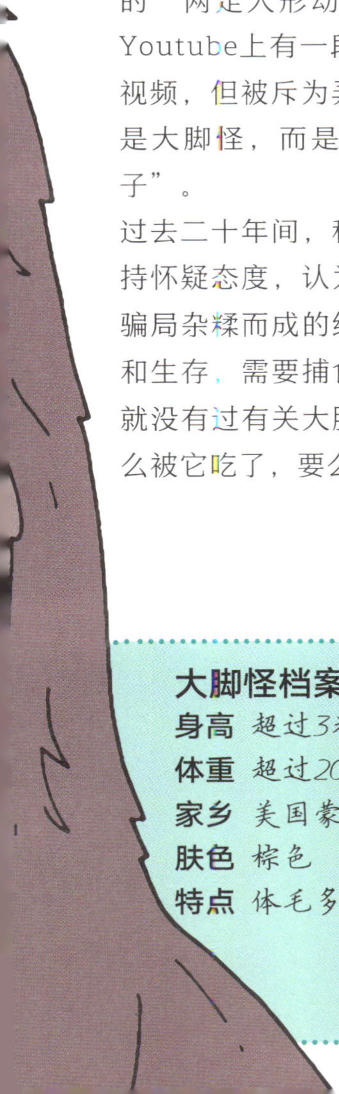

大脚怪档案

身高 超过3米

体重 超过200千克

家乡 美国蒙大拿州、爱达荷州、怀俄明州

肤色 棕色

特点 体毛多、体味重

神话中的另一个巨人

女士们先生们，这个巨人大家耳熟能详！他就是歌利亚！

在基督教神话中，身高3米的歌利亚在以拉谷同以色列军作战，叫阵单挑。唯一出阵应战的是一个名叫大卫的男子，他以智取胜，用机弦投出石子将歌利亚击倒，取了他的首级——大卫真棒！

神秘之地 #2

百慕大三角洲

百慕大三角位于大西洋（也许就在亚特兰蒂斯旁边！），在百慕大、波多黎各、佛罗里达之间，横跨116万平方千米——超大！百慕大三角又称魔鬼三角，是一个令人闻风丧胆的地方，据说那里会发生一些怪异、超自然的事件，船只、飞机会在那里消失，还有许多海怪在那里藏身！

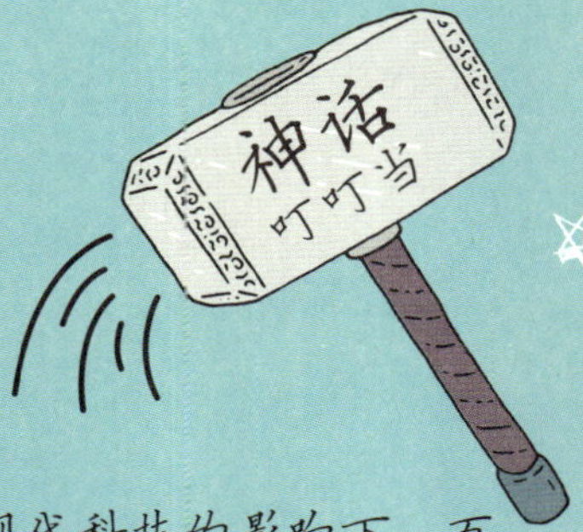

令人遗憾的是，在现代科技的影响下，百慕大三角的神话偃旗息鼓了。每年平均有4架飞机、20艘船在百慕大三角失踪，但那里是世界上最繁忙的航道和贸易路线之一，失踪的船只数量还不到总数的百分之一，因此很是微不足道。呸。

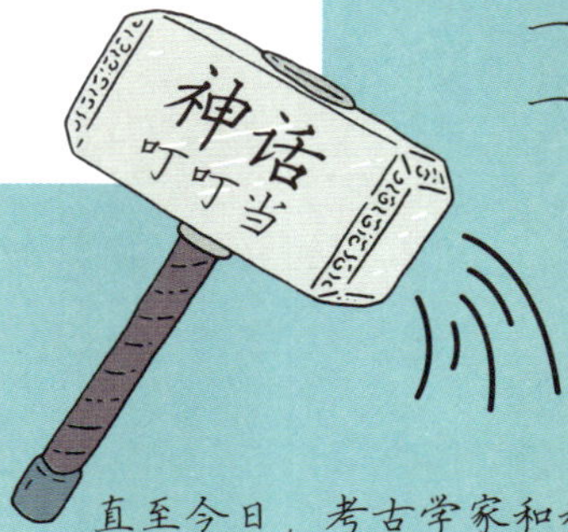

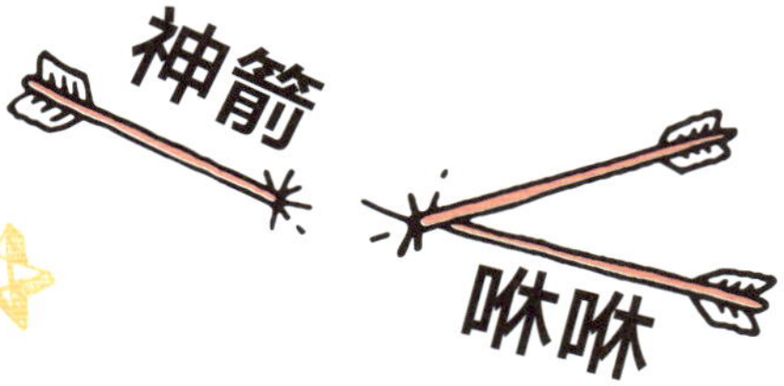

百慕大三角的坏名声始于克里斯托弗·哥伦布。1492年10月8日，他在船长日记中写道：航行至百慕大三角，船上的指南针失灵了。

直至今日，考古学家和科学家们依然不断发现先前以为已经失落的文明中的神秘之地，其中最为著名的便是秘鲁的纳斯卡线条。2012年，考古学家在洪都拉斯茂密的丛林中发现了传说中的白城——“猴神之城”。2015年，史上最大的新石器时代遗址在英国出土，这个地下遗址中有90多块令人费解的大石头，而这个遗址3.2千米开外便是巨石阵。

我写了神话

那些真正写神话的人又是什么样子的呢？我们来看一下荷马、奥维德、维吉尔这三个史上最伟大的神话作家吧！

荷马知多少

- 荷马的《伊利亚特》《奥德赛》是迄今已知的人类最古老的文学作品。我们并不清楚这两部书的确切成书年代，但有一些历史学家认为应在公元前700至前800年左右。
- 荷马有一项特别的能力，便是多角度塑造人物（比如《伊利亚特》中的阿喀琉斯）。
- 荷马自己或许也是神话人物！他存在过吗？或者《奥德赛》和《伊利亚特》是数代说书人共同的劳动成果？
- 据传说，荷马是一个盲人，他云游四方，讲述传说中英雄、诸神的故事。
- 《伊利亚特》和《奥德赛》是两部长诗，以一种名为六音步长短格的格律写成，即一行诗有十八个音节，每三个音节押首韵。

维吉尔知多少

★ 罗马诗人维吉尔于公元前70年出生，公元前19年逝世。

★ 大约在公元前30年，维吉尔开始撰写《埃涅阿斯纪》，这是一部讲述传奇英雄埃涅阿斯以及罗马城建立的史诗。

★ 维吉尔去世时，以荷马史诗为范本的《埃涅阿斯纪》还没有完成，但罗马人依然视其为一部杰作。

★ 和希腊诗歌一样，《埃涅阿斯纪》也以特洛伊战争为题材，叙述一个英雄踏上漫长而危险的征途，描写了勇猛的战士之间徒手搏斗的场景。

★ 维吉尔先用散文体写了整部《埃涅阿斯纪》，后来逐渐转写成诗歌。

★ 临死前，维吉尔要求将未完成的《埃涅阿斯纪》手稿销毁，所幸奥古斯都皇帝无视维吉尔的遗言，将他的作品保留了下来。

奥维德知多少

★ 这个罗马诗人于公元前43年出生，公元17年去世。

★ 他最著名的事迹便是撰写了一本神话传说集——《变形记》。

★ 《变形记》讲述了许多古希腊、罗马、中东的神话传说。所有这些故事都有一个共同的主题：变化，或称“变形”。

★ 书中每一个故事中的角色都会经历某种变形，比如变成动物、植物、星辰等。这些变形通常要么是作为服从、帮助诸神所得到的奖励，要么是作为违抗或对抗诸神得到的惩罚。

★ 奥维德的作品对大约1600年后威廉·莎士比亚的戏剧产生了直接、巨大的影响。

魔法生物 #2

奇美拉

希腊神话中，奇美拉是一头能够吐火的可怕怪物，由多种动物混合而成，比较典型的是狮子的身躯，背上长着羊头，尾尖是蛇头。奇美拉同刻耳柏洛斯和海德拉（见第40页和第31页）是一脉的。柏勒洛丰在飞马珀伽索斯的帮助下将其杀死。

旁征博引

现存最早有关奇美拉的记载见于荷马的《伊利亚特》。荷马是这么描写奇美拉的：“此物有着不死之身，并非人形，前狮后蛇，中间是羊，喷吐可怕的火焰。”

提丰

神和妖怪我们见得多了，但很少见到既是神又是妖的。希腊神话中，没有哪个神（或妖怪）能像提丰那样强大、危险而致命。

关于提丰的描写多种多样，不同传说之间稍有差别，下面把流传最广的描写总结一下，让大家对这个怪物形象有一个直观的感受：

他的叫声十分可怕，若这还不够糟糕的话，还有更糟糕的——提丰不仅仅是怪物，还是神——他是盖亚（大地）和塔尔塔洛斯（狂暴、无底的风暴深渊）最小的孩子。

据说，喷火怪兽提丰一直在挣扎着想要重获自由，他只要一动，就会带来地震和火山喷发。

- 他是个巨人——特别特别高，头能碰到星星。
- 他的身躯是人，但两条腿是盘着的蛇。
- 他的头上有100个蛇头。
- 他的眼睛是红色的，放着光，他有着“野兽的下颚”，能喷火。
- 他浑身长着几百个翅膀。
- 他的手由100条毒蛇组成。

妖怪来了 #5

夺命巨人巴罗尔

并非只有希腊神话里面有独眼怪。在凯尔特传说中，巴罗尔时常被描述为额头上长着一只眼睛的巨人，他的眼睛里能放射出有毒的光线，将视线所及范围之内的所有生物杀死。不过他很可怜。一次，他卷入了一场超自然的战争：帮助弗摩尔族对抗达那神族。在最后一场战争中，巴罗尔命令四个人拉开他巨大的眼皮……四人刚把他的眼皮拉开，达那神族的英雄便用机弦投出石子，一下子击中巴罗尔的眼睛。石子从巴罗尔的后脑勺飞出，巴罗尔当即毙命。巴罗尔死后，弗摩尔族被打败。这个神话告诉我们什么道理呢？告诉我们别让独眼巨人为你作战——因为他们的长处便是他们的弱点。

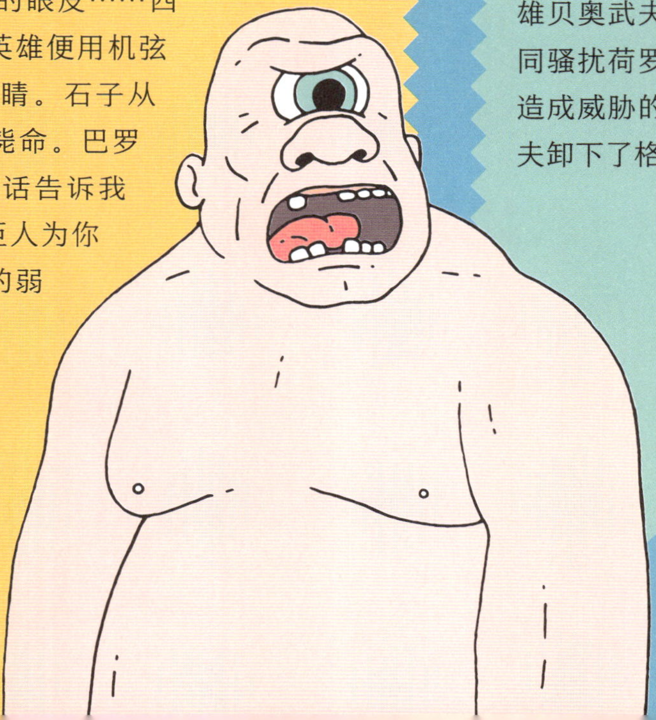

格伦德尔

格伦德尔是一个巨大的怪物，据说是《圣经》中该隐（第一个杀人犯，杀了弟弟亚伯）的后代。格伦德尔出现在古老的英国英雄史诗《贝奥武夫》中。该史诗将场景设定在斯堪的纳维亚，是最重要的盎格鲁-撒克逊文学作品之一。这部史诗可以追溯到公元8世纪到11世纪之间，讲述了伟大英雄贝奥武夫前去帮助丹麦国王荷罗斯加，同骚扰荷罗斯加所建的大殿、对整个王国造成威胁的格伦德尔作战的故事。贝奥武夫卸下了格伦德尔的胳膊并将其杀死。

利维坦

利维坦可谓是神话传说中最为著名的海蛇。这头超级厉害的怪兽来源于《旧约圣经》，它的名字成了大型海怪的代名词。在《圣经》中，利维坦在海上漫游，口吐火焰，鼻孔冒烟，它炙热的呼吸让海水沸腾不止。

东亚诸神

巨龙登场

西方神话里的龙是一种可怕的喷火怪，会带来死亡和破坏。然而，在东亚地区，龙受人尊敬，被认为是最为高贵的动物。在中国神话中，龙占据极为重要的位置。在公元前2000多年，有一个名为夏的民族占据了中国北方。夏族人民崇拜一种蛇，这种蛇在中国最古老的一些神话中有所提及。过了好几百年，这种蛇演变成了龙（长着四脚的蛇），从此龙成了中国文化和神话中延续时间最长的符号，代表着力量与卓越。在中国神话中，有九种经典的龙：

1. 角龙，能唤雨，全聋。
2. 应龙，长着翅膀的龙。
3. 地龙，控制着河流。
4. 天龙，住在天上，保护着天神，防止他们从云上面掉下来。
5. 神龙，呼风唤雨，惠及人类。
6. 伏藏龙，守护着隐藏的财宝。
7. 盘龙，生活在水中。
8. 黄龙，曾出现在水中，驮着传说中的帝王伏羲来创造文字。
9. 龙王。

神话小偷

龙是中国十二生肖之一，所谓生肖，就是中国农历年的代表动物。如果你在龙年出生，那你真是十分幸运了！下一个龙年是2024年！

龙在西方各地的文化和神话中常常被描绘成凶猛、充满破坏性的生物。在东亚的一些国家（比如中国），龙被认为是强大、开悟的生物。

佛教

佛教的创始人乔达摩·悉达多是印度的一位王子。他放弃了荣华富贵，追求真理和智慧。当他找到真理和智慧的时候，便成了佛（又叫开悟者）。佛教徒相信人们死后会不断转世投胎。如果你是好人，那你来生便会成为强壮的动物，比如说狮子。如果你是坏人，那你来生将投胎成为爬虫，或鼻涕虫！这就叫做业报。佛家的最终目的是达到开悟，从而超脱轮回，进入一个无尽的，如天堂一般的状态——涅槃。

上有天堂

世界各地的文化都认为所有生命最终都将以死亡结束。我们的身体会腐烂，原子将飘散，但许多文化会问，那我们的灵魂呢？许多文化认为人的灵魂将在某个神秘的地方永远存在……

天堂在人间

千年以来，神话创造了一个有关来生（也就是人们死后的状态）的系统或者说信念，或者创造了一个人们灵魂会去的神秘之地。神话、传说、宗教文献描绘了多种多样的来生。这些景象彰显了各个文化对于来生的希望和恐惧，往往也包含教导人们应如何过好此生的内容。

古埃及人的来生

古埃及神话是这么说来生的：我们的身体将被送往另一个世界。埃及人相信人死后遗体应当得到保存，从而让灵魂存续。他们不遗余力地保存遗体，为来生做准备。他们建造了精巧的坟墓用以保护要人的遗体，并创造了精良的木乃伊制造工艺让遗体不腐烂。

制作木乃伊的七个步骤：
请勿在家里尝试！

1.将遗体洗得干干净净。
2.去除内脏，只保留心脏。
3.用填充物将遗体填满。
4.给遗体盖上一层名为泡碱的物质，这种物质盐分超高，能够让遗体变得干燥。
5.五十天后，取出填充物，代之以亚麻布或木屑。
6.遗体用亚麻布条缠绕，并盖上裹尸布。
7.将遗体放进一个名为Sarcophagus的石棺中。这样，木乃伊便可以准备踏上来生的旅途了。

阿瓦隆

在亚瑟王神话中，阿瓦隆岛是人间天堂，那里满是和谐、健康、美好的时光。亚瑟王在卡姆兰之战中同莫德雷德战斗，受了致命伤，随后被人用船带到了阿瓦隆。人们相信亚瑟会待在那里，直到有一天重回不列颠。但我们至今没有听说他的新消息。

瓦尔哈拉

瓦尔哈拉的意思是“死者殿堂”，是北欧之神奥丁的大殿。根据传说，死于北欧神话大战中的英勇战士将齐聚瓦尔哈拉享受来生。在那里有一头山羊，源源不断产出羊奶蜜酒，英灵们在那里等待诸神黄昏，也就是世界末日的来临。瓦尔哈拉有着超过640扇门，每一扇都特别大，足以让几百人通过。这样，英灵们一旦发觉诸神黄昏来临，便能立马离开。

至福乐土

在希腊罗马神话中，至福乐土是死者最终的安息地。刚开始，只有受到诸神祝福获得永生的英雄才能去，但渐渐地那里便成了诚实善良的人们死后的理想归宿。

欢迎来到“地狱”

赫尔、赫尔海姆、另一个世界、幽冥、冥土、塔尔塔洛斯、巴加伯、咔兹慕、阴间、永劫、西瓦尔巴、死人之地、乌库帕查、图瓦特、黑暗之屋、安温、欧列努乌欧诺诺阿、米克特兰、哲罕南、阿鼻地狱、泥梨耶、地狱。不论世界上的各种不同神话怎么称呼它，它都是一个你怎么都不会想要去的地方！

这里变得火热起来

作为天堂的反面，地狱（冥土）是绝大多数主要神话中最古老的概念。它和创世神话同时产生，混沌分成两块——天堂升到了天空中，地狱沉到了地底下。绝不会倒过来，所有神话都是这么认为的。我们来看几个不那么为人所知，但依然非常酷炫的地狱……

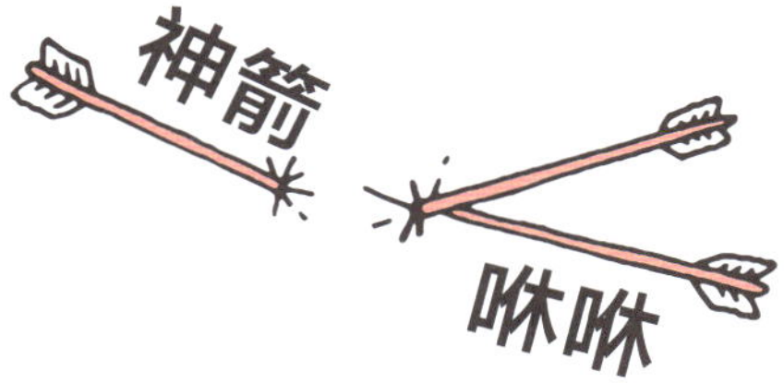

在伊斯兰教中，哲罕南是一个充满烈焰、沸水的地方，不服从神的人都会去到那里。

安温

在威尔士神话中，另一个世界常被称作安温，翻译过来大致就是“非世界”。起先，这另一个世界是死者的王国，其可怕的统治者被称作亚罗温（威尔士语）。凯尔特民间传说中有许多关于人间统治者进入安温的故事。充满魔幻色彩的英国亚瑟王曾带领一支义勇军进入黑暗之地夺取魔法锅。早在1350年，《塔里森传奇》就详细地描述了这个故事。

西瓦尔巴

对于中美洲的玛雅人来说，冥土实在不是个好地方——而且并非只有坏人才会去。天堂只为那些壮烈牺牲的人而留。其他人则需要在西瓦尔巴，也就是冥土，度过漫长的假日。西瓦尔巴的意思是“战栗之地”。玛雅人认为山洞或者死水都是通往西瓦尔巴的大门。

旁征博引

“地狱”是中国神话中死者的国度。

米克特兰

墨西哥的阿兹特克人认为冥土有八层，每层都有不同的危险，比如溺水或尖刀。灵魂将层层下坠，直至到达米克特兰——冥土的最底层。

幽冥

在日本神话中，冥土被称为幽冥，即“黑暗阴郁之地”。这个传说中的地方原本是空的，直到创世女神伊耶那美在生下火神之后死去。尸体上的蛆虫孕育出恶魔。恶魔逐渐遍布幽冥，折磨恶人的灵魂。啊呀！

不太善良的神

普鲁托

- 罗马神话中，普鲁托是冥土的统治者，相当于希腊神话中的哈迪斯。
- 他的父亲是萨图尔努斯，相当于希腊神话中的克洛诺斯。
- 在一些经典的描述中普鲁托的武器是一根双头杖，名叫两叉矛。后来两叉矛变成了基督教神话中恶魔撒旦的武器。

酷炫指数 10/10

宙斯

- 宙斯在古希腊神话中是“众人众神之父”、创造之父、光之神、天空之神、太阳神、天堂和天气之神。
- 宙斯最爱的武器是闪电。
- 宙斯是奥林匹斯神，住在希腊的奥林匹斯山巅。

酷炫指数 10/10

如果你在寻找善良的神，那你会失望的，因为这里只有强大的复仇之神，这些神游走在善与恶的边缘。他们或许无情无义，喜欢耍手段，但他们真的很酷！他们还在世界神话的叙事中扮演了重要角色。毕竟，没有黑暗就没有光明，没有邪恶就没有善良。

米克特兰堤库特里

- 阿兹特克神话中的死神。
- 他名字的含义是“米克特兰（阿兹特克地狱）之主”。
- 阿兹特克神话中的主神之一。
- 祭拜米克特兰堤库特里经常包含吃人的仪式。

酷炫指数 10/10

阿努比斯

- 在古埃及神话中，阿努比斯被描绘为长着豺或狗的头。
- 他有着女人的身体。
- 他和死亡、木乃伊有关。
- 讲述古代埃及葬礼的《死者之书》描写了阿努比斯如何引导死者踏上前往冥土的旅程。

酷炫指数 10/10

世界末日到了：诸神黄昏

在世界神话中，死亡和破坏随处可见，从史诗般的战斗到全面的战争，甚至打开潘多拉的盒子。每一个大陆上的每一个神话都提到了终将到来的世界末日。而就破坏的规模之宏大而论，北欧神话对世界毁灭的叙述无人能及……

九个世界

根据斯堪的纳维亚的北欧神话，诸神黄昏不仅将是人间的末日，同时也是九个世界的末日。这九个世界分别是：

阿斯加德
阿萨神族的家园

华纳海姆
华纳神族的家园

亚尔夫海姆
光之精灵的家园

米德加尔特
即“中土”，
人类的家园，
由彩虹桥同阿斯加德相连

约顿海姆
巨人的家园

瓦特海姆
黑精灵的家园

尼德威阿尔
侏儒的家园

尼福尔海姆
死者的家园

穆斯贝尔海姆
火巨人和恶魔的家园

诸神黄昏

九个世界（包括人间）将在诸神黄昏（意思是尘雨）中毁灭，这场北欧诸神和巨人之间的最终决战将带来难以言表的死亡和破坏。根据北欧神话，诸神黄昏的先兆已经频频出现：

- ☆ 诸神黄昏刚开始前，人间将经历三年战争的严冬。
- ☆ 索尔的兄弟，恶作剧之神洛基将召集霜巨人，乘船航行至诸神的家园阿斯加德。芬尼尔、耶梦加得、海拉将加入洛基和其他邪恶势力的队伍，同奥丁、索尔、海姆达尔等神祇作战。
- ☆ 诸神黄昏的早晨，海姆达尔将吹响巨型号角，召唤诸神加入战斗。
- ☆ 在战斗中，九个世界所有伟大的神——包括奥丁、洛基、索尔——以及其他妖怪、巨人、恶魔等都将死去。
- ☆ 大战过后，人间将燃起大火，日月都将毁灭，天空崩塌，世界沉入海底，永远消失。
- ☆ 然而，诸神黄昏并不是终结。世界树伊格德拉西尔，以及利弗和弗诗拉希尔这两个人类将幸存下来，他们将在新世界繁衍生息。

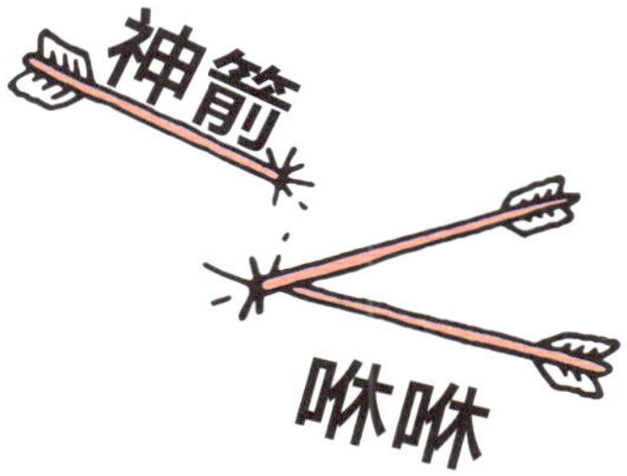

古希腊神话给出了英语中“apocalypse”（默示）一词，但并没有讲述与之有关的故事。对于古希腊人来说，世界早已经在诸神之间爆发的大战中被终结、摧毁、争夺了许许多多次了。

不管什么事，只要没有被证伪，我都会相信。
所以我相信童话，相信神话，相信龙的存在。
这些都是存在的，哪怕存在于你心中。
谁说幻梦和梦魇就没有当下来得真实呢？

——约翰·列侬

作者 | [英] 马尔科姆 • 克劳馥 Malcolm Croft

热爱与太空、星辰和宇宙有关的一切，但绝不是一个吹牛大王
四岁那年，爸爸带他去看从卡纳维拉尔角发射的航天飞机，从此他就一直在仰望，并让自己的想象力自由翱翔在天宇

绘者 | [英] 达米恩 • 维西尔 Damien Weighill

阿迪达斯，福特和《卫报》的插画师

译者 | 王喆

澳大利亚麦考瑞大学翻译与口译硕士，澳洲国家翻译局职业翻译，中国翻译协会会员，南京市政府口译员
代表译作：《印第安神话故事》《柏拉图和鸭嘴兽一起去酒吧》《和伊壁鸠鲁一起旅行》

多的是你不知道的科学知识

嘭！神话超有趣

产品经理 | 何　娜　　特约印制 | 路军飞
装帧设计 | 陈　章　　技术编辑 | 顾逸飞
产品统筹 | 何　娜　　策 划 人 | 吴　畏

图书在版编目（CIP）数据

嘭！神话超有趣 /（英）马尔科姆·克劳馥著；（英）达米恩·维西尔绘；王喆译. -- 昆明：云南美术出版社，2018.9
ISBN 978-7-5489-3248-2

Ⅰ. ①嘭… Ⅱ. ①马… ②达… ③王… Ⅲ. ①儿童故事-图画故事-英国-现代 Ⅳ. ①I561.85

中国版本图书馆CIP数据核字(2018)第154540号

著作权合同登记号 图字23-2018-011号

First published in the United Kingdom in 2016 by Portico,
an imprint of Pavilion Books Company Limited, 43 Great Ormond Street, London, WC1N 3HZ

责任编辑：梁　媛
装帧设计：陈　章
责任校对：李　平

嘭！神话超有趣
［英］马尔科姆·克劳馥 著；［英］达米恩·维西尔 绘；王喆 译

出版发行：云南出版集团
　　　　　云南美术出版社（昆明市环城西路609号）
制版印刷：北京尚唐印刷包装有限公司
开　　本：787mm×1092mm 1/16
字　　数：200千字
印　　张：7
印　　数：1-7,000
版　　次：2018年12月第1版
印　　次：2018年12月第1次印刷
书　　号：ISBN 978-7-5489-3248-2
定　　价：46.00元